Boulangerie et Pâtisserie

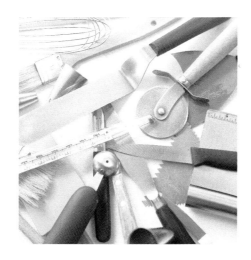

TECHNIQUES
DE BASE

Lesley Chesterman
Bertrand Bazin

ÉDITIONS DU TRÉCARRÉ

© Éditions du Trécarré, 2000

Éditeur original : Éditions Total Publishing

Conception et mise en pages :   Cyclone Design Communications
Photographie :   François Croteau
Éditrice et chargée de projet :   Gisèle LaRocque
Révision linguistique :   Marie-Paule Gagnon
Correction d'épreuves :   Diane Martin
Indexeure :   Diane Baril

Données de catalogage avant publication (Canada)

Chesterman, Lesley, 1967-
        Pâtisserie et boulangerie
        (techniques de base)
        Publ. aussi en anglais sous le titre: Baking & Pastry
        Comprend un index
        ISBN 2-89249-968-2
        1. Pâtisserie. 2. Pain. 3. Gâteaux. 4. Desserts. I. Bazin, Bertrand, 1967- II. Titre III. Collection.

        TX763.C43 2000   641.8'65   C00-940903-3

ISBN : 2-89249-968-2

Dépôt légal, 2000
Bibliothèque nationale du Québec

Nous reconnaissons l'aide financière du gouvernement du Canada par l'entremise du Programme d'aide à l'édition (PADIÉ) pour nos activités d'édition

Éditions du Trécarré
Outremont (Québec) Canada

Imprimé au Canada

Table des matières

Table des matières

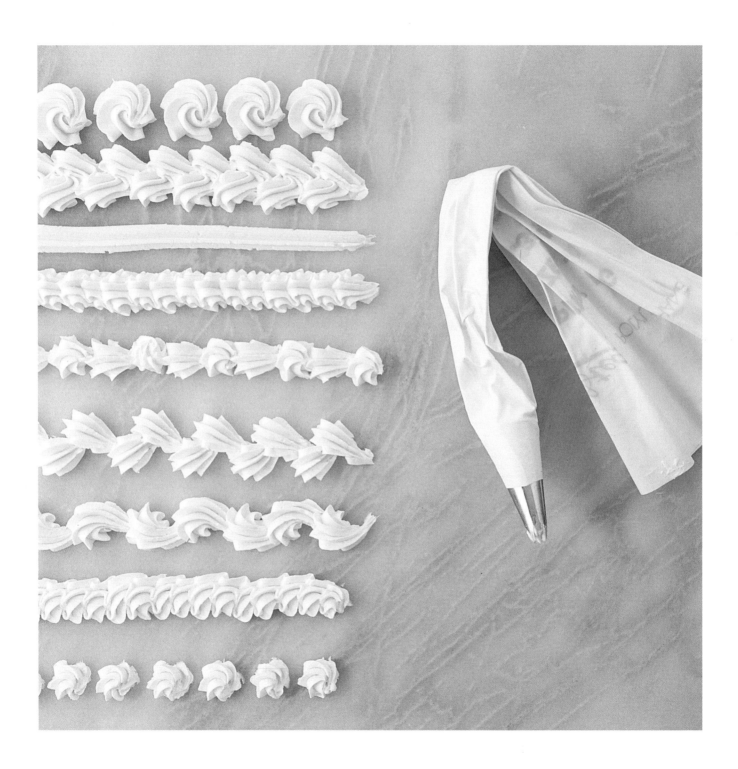

Introduction

Introduction

C'est en forgeant qu'on devient forgeron, et il n'est pas de domaine où cette maxime est aussi juste que ceux de la boulangerie et de la pâtisserie.

De nombreux cuisiniers amateurs confessent que c'est en pâtisserie qu'ils ont connu leur Waterloo. En effet, ce n'est pas tous les jours qu'on se lance dans la préparation d'une croûte à tarte ou d'une tourte aux fruits. Il serait par conséquent irréaliste de s'attendre à la perfection dès la première tentative, ni même dès la deuxième. Cependant, la confection des gâteaux et des pâtisseries n'est pas aussi difficile qu'on pourrait le penser. Il en va de la pâtisserie comme du piano : l'exercice et la patience sont les clefs du succès.

Il n'est pas aisé d'expliquer la pâtisserie avec des mots, car cet art s'appuie beaucoup sur l'intuition. Comment par exemple décrire la souplesse d'une boule de pâte ni trop sèche ni trop collante ? L'onctuosité d'une crème anglaise épaissie à la nappe ? La légèreté d'un gâteau éponge au sortir du four ? L'élasticité de la pâte à pain après dix minutes de pétrissage intensif ?

C'est donc dans le but de rendre intelligibles ces intuitions, de montrer l'aspect du produit et les manœuvres qui président à sa confection que nous avons enrichi le livre de nombreuses photos et illustrations.

Il est possible que vous maîtrisiez déjà certaines recettes. D'autres préparations vous paraîtront longues et difficiles, et elles ne sont certainement pas pour le débutant. Nous vous conseillons donc d'y aller progressivement. N'allez pas vous aventurer à faire des croissants avant d'avoir maîtrisé un tant soit peu la préparation de la pâte feuilletée et du pain. Peut-être vous demanderez-vous même pourquoi nous nous sommes donné la peine d'inclure dans l'ouvrage une recette de croissants, alors qu'on peut en acheter partout en ville. Eh bien, tout simplement pour le plaisir de la chose. Comme vous le découvrirez bientôt, rien n'est plus agréable que de savourer une danoise ou un croissant confectionné avec amour, à partir de zéro.

Bien des gens trouvent une détente dans la confection de gâteaux et de pâtisseries. Soyez assuré que dès que vous aurez maîtrisé quelques techniques, vos progrès ne tarderont pas à venir. Très tôt, la préparation de une ou de plusieurs de ces pâtisseries ira de soi quand vous recevrez des amis.

La première partie de l'ouvrage se concentre sur les préparations élémentaires. La deuxième fournit les recettes de base des gâteaux et des tartes. La dernière partie du livre est consacrée aux pains à la levure et aux pains rapides. Les pâtissiers amateurs avancés en viendront peut-être à s'inspirer de nos recettes pour créer leurs propres tartes et gâteaux.

Avant de vous aventurer à casser votre premier œuf ou à tamiser de la farine, écoutez ces quelques conseils utiles : 1) prenez le temps de lire les premières pages du livre présentant les ingrédients et les ustensiles employés dans les recettes; 2) efforcez-vous d'utiliser les ingrédients les plus frais et de la meilleure qualité qui soient; 3) pesez tous les ingrédients énumérés avant d'entreprendre l'exécution d'une recette afin de vous assurer que vous avez tout ce qu'il faut sous la main.

Une dernière pensée. Une pâtisserie peut être bien plus qu'un mets sucré, consommé en clôture de repas. En incluant quelques recettes dans votre répertoire, vous serez capable d'égayer vos brunches dominicaux, de donner de la vie au thé de l'après-midi, de souligner l'anniversaire d'un ami ou même de rendre intéressante la razzia nocturne dans le réfrigérateur.

Eh bien, est-ce que vous avez maintenant envie de vous lancer ?

Partir du bon pied

Partir du bon pied

Avant d'exécuter toute recette, prenez connaissance de la liste des ingrédients afin de vous assurer que vous avez tout ce qu'il faut sous la main avant de commencer. Si vous n'êtes pas un pâtissier d'expérience, vous devriez lire la présente section, qui porte sur les ingrédients utilisés, afin de savoir quoi acheter exactement. Même le pâtissier chevronné aurait intérêt à jeter un coup d'œil sur cette liste afin de s'assurer que ses ingrédients sont les mêmes ceux que nous utilisons.

Beurre : Toutes les recettes exigent du beurre non salé. Le beurre non salé est plus périssable que le beurre salé. Il faut le garder au réfrigérateur, pas plus d'une semaine. Si on souhaite conserver le beurre non salé plus longtemps, il faut le congeler. Le beurre non salé absorbe les odeurs ambiantes facilement. Gardez-le donc loin des oignons et de l'ail. Dans les recettes, il importe d'observer les directives relatives à la température du beurre. Pour les recettes qui exigent du beurre battu en crème (beurre à température ambiante), on conseille de sortir le beurre du réfrigérateur la veille au soir.

Cacao en poudre : Recherchez le cacao sombre, possédant une teneur en beurre de cacao d'au moins 22 %. Les sociétés Valrhona, Cacao-Barry et Van Houten produisent d'excellents cacaos en poudre. Le problème avec certaines marques de cacao est que leur couleur pâle et leur saveur trop faibles ne permettent pas de produire le goût et l'aspect chocolaté recherchés. Dans les recettes, on ne devrait pas remplacer le cacao en poudre pur par du cacao en poudre sucré (cacao en poudre instantané).

Chocolat : Les chocolats mi-sucré et mi-amer sont le premier choix du chef pâtissier dans la réalisation de desserts chocolatés. À l'achat, recherchez des chocolats noirs, au lait ou blancs dont la teneur en beurre de cacao s'élève à au moins 22 %. La saveur de votre dessert sera fonction de la quantité de liqueur de cacao et de sucre du chocolat. Sa texture (surtout pour les mousses et les ganaches) dépend de sa teneur en beurre de cacao. Les marques les plus appréciées sont Valrhona, Barry-Cabbelaut, DGF, Lindt, Suchard et Ghiradelli. Baker est également une marque acceptable.

Crème et lait : La crème riche, dont la teneur en gras oscille entre 30 et 35 %, également connue sous le nom de crème à fouetter, est la seule utilisée dans ce livre. Quand une recette exige du lait, vous pouvez prendre du lait entier, du lait à 2 %, du lait écrémé ou du lait ultra-haute température. Assurez-vous que les produits laitiers sont aussi frais que possible et conservés au froid jusqu'à utilisation.

Enduit végétal anticollant : Pour le graissage des moules, l'enduit végétal anticollant vaporisable est une bonne solution de rechange au beurre, particulièrement avec les pâtes délicates et collantes, comme les madeleines. Appliquez toujours cet enduit avec parcimonie et soyez certain d'utiliser un produit sans saveur.

Farine : La section du présent livre consacrée aux pâtisseries fait surtout appel à de la farine tout usage, c'est-à-dire un mélange de farine à pain et de farine à pâtisserie. La farine panifiable, plus riche en gluten, est celle nécessaire pour confectionner la pâte à pain, plus lourde et plus élastique, pétrie avec de la levure. En effet, une pâte élastique emprisonne mieux les bulles de gaz produites par la levure, ce qui amène la pâte à lever. Les pâtes plus légères, à base d'œufs, exigent parfois de la farine à gâteau et à pâtisserie, plus légère et plus faible en gluten. Dans la mesure du possible, achetez de la farine blanche non blanchie. Toutes les farines devraient être conservées dans un contenant hermétique. Elles se gardent six mois à température ambiante. Les farines de blé entier et certaines spécialités sont susceptibles de rancir, et doivent être conservées au réfrigérateur ou au congélateur. L'été, protégez la farine de la moisissure et des insectes en la gardant dans des contenants hermétiques au réfrigérateur ou au congélateur.

Gélatine : La gélatine se vend en poudre ou en feuilles. La gélatine en poudre doit être gonflée à l'eau froide pendant au moins une minute. Comptez 50 ml (1/4 tasse) d'eau pour 7 g (2 c. à thé) de gélatine. Les feuilles de gélatine doivent être mises à tremper dans une bonne quantité d'eau froide pendant environ 5 minutes. Retirez les feuilles de l'eau et exprimez l'excédent d'eau avant utilisation. Pour dissoudre la gélatine ramollie, en poudre ou en feuilles, on doit la remuer dans un liquide bien chaud.

Levure : C'est toujours de levure sèche dont il est question en ces pages. Si vous le voulez, vous pouvez remplacer la levure sèche par de la levure fraîche ou en tablettes; il faut alors doubler les quantités (au poids) indiquées. Ainsi, vous pouvez prendre à la place de 12 g de levure sèche 25 g de levure fraîche. Dissolvez la levure fraîche dans le liquide, chaud ou froid, utilisé dans la recette. Ce n'est qu'après dissolution que la levure peut entrer en contact avec le sel. Autrement, le sel tuerait la levure. Avant d'entreprendre l'exécution de toute recette, assurez-vous que la levure est vivante en la testant dans un liquide chaud dans lequel vous aurez dissous une pincée de sucre.

Massepain : Le massepain est souvent vendu dans les supermarchés, les épiceries fines ou les boutiques spécialisées en équipement de pâtisserie dans des emballages bien scellés ou en conserve, sous le nom de pâte d'amandes ou de massepain. On peut colorer le massepain et lui donner toutes sortes de formes ou bien le rouler, telle une pâte, en une abaisse qui servira à garnir un gâteau (voir le Fraisier à la p. 75). Les pâtes à gâteau renfermant du massepain se distinguent par leur saveur d'amande et leur moelleux. Le massepain ne doit pas être conservé trop longtemps au réfrigérateur ou au congélateur, car, dans cet environnement humide, et en raison de sa forte teneur en sucre, il se mettrait à suinter et à fondre. Conservez en tout temps le massepain enveloppé d'une pellicule de plastique, car sinon, il se recouvrirait d'une croûte ou deviendrait sec et dur comme un caillou. Traitez toujours le massepain avec soin et lavez-vous bien les mains avant de le manipuler.

Noix : Dans la mesure du possible, achetez les noix les plus fraîches qui soient et conservez-les toujours au congélateur. Les fruiteries et épiceries fines offrent souvent des noix de meilleure qualité que les épiceries de quartier ou les supermarchés. Vous pouvez remplacer certaines noix par d'autres. Ainsi, dans une recette qui exige des pacanes, vous pouvez prendre des noix de Grenoble, et vice versa.

Œufs : Toutes les recettes du livre utilisent des œufs de gros calibre, dont le jaune pèse 20 g et le blanc 30 g. Pour les préparations à base de crème pâtissière, il est impératif de prendre les œufs les plus frais. Les pâtes à gâteau se laissent préparer plus facilement avec des œufs âgés d'une semaine environ. Ceci est vrai particulièrement pour les meringues. Vous pouvez séparer les œufs froids ou à température ambiante. Nous n'avons pas là de préférences.

Pâte de praliné (pralin) : La pâte de praliné est fabriquée à partir de noix caramélisées (amandes ou noisettes, ou mélange des deux) moulues en une pâte fine. On peut considérer la pâte de praliné comme un beurre d'arachide haut de gamme. La pâte de praliné peut être difficile à trouver; tentez votre chance dans les épiceries fines ou les boutiques spécialisées en équipement de pâtisserie. Vous pouvez aussi demander à un propriétaire de pâtisserie de vous en vendre un peu.

Sel : Le sel est un élément essentiel à la saveur, à la couleur et à la texture des préparations pâtissières et des autres produits de boulangerie. Dans nos recettes, il est préférable de prendre un sel raffiné fin (sel de cuisine).

Sucre : Le sucre granulé est celui utilisé le plus fréquemment dans le livre. Le sucre glace, aussi appelé « sucre à glacer », doit toujours être tamisé avant utilisation. Il faut toujours veiller à la pureté des sucres, notamment de la cassonade (évitez la contamination par la farine) et les conserver dans des contenants distincts, bien fermés.

Shortening végétal : Le shortening végétal blanc et solide sert à confectionner des pâtes à tarte feuilletées. Bon nombre de pâtissiers l'utilisent à la place du beurre, pour réduire leurs frais. Vous pouvez adopter cette attitude, mais vous devez savoir que cette économie se répercutera sur le plan de la saveur.

L'équipement

Cercles à entremets et moules à charnière : Un cercle à entremets est un anneau fabriqué d'acier inoxydable qu'on place sur une plaque à pâtisserie doublée de papier sulfurisé. L'anneau utilisé dans les recettes de ce livre mesure 20 cm sur 6 cm (8 po sur 2 1/2 po). Si vous ne pouvez trouver de cercle à entremets dans les boutiques spécialisées en équipement de pâtisserie ou les cuisineries, vous pouvez vous servir d'un moule à charnière. Le seul inconvénient lié à ce moule est que ses parois sont inclinées, et que vos gâteaux ne seront pas parfaitement symétriques.

Chalumeau : Sert à chauffer les parois d'un cercle à entremets afin de faciliter le démoulage. Le chalumeau n'est pas essentiel, mais il est pratique.

Cuillères de bois : Assurez-vous que toutes vos cuillères de bois sont propres, inodores et non ébréchées.

Fouets : Il est bon d'avoir à la cuisine des fouets de différentes tailles. Achetez des fouets aux fils fins.

Malaxeur : À main ou sur pied, le malaxeur est un outil essentiel pour la préparation des gâteaux et des pâtisseries. De nombreuses recettes de pain et de biscuits peuvent s'exécuter sans malaxeur, mais il est pratiquement impossible de réussir les gâteaux éponges et les crèmes émulsionnées sans cet appareil. Un malaxeur robuste peut aussi servir à pétrir la pâte à pain.

Moules à tourte française et moules à tarte : Le moule à tourte française possède un bord cannelé, et son fond est amovible. Celui que nous utilisons dans les recettes a 23 cm (9 po) de diamètre et 2,5 cm (1 po) de hauteur. Ce genre de moule rouille facilement; prenez donc soin de bien le sécher après l'avoir lavé. Pour apporter de la variété, vous pouvez utiliser des moules à tourte française rectangulaires, carrés ou des moules à portions individuelles.

Papier sulfurisé, feuilles Silpat® (silicone de pâtisserie) : Le papier sulfurisé est un papier imperméable, capable de supporter la chaleur, idéal pour empêcher les pâtisseries cuites au four d'adhérer à la plaque. Il se vend en rouleaux et en feuilles. La feuille de caoutchouc épais de marque Silpat®, réutilisable et lavable, est une autre option qui s'offre à vous. Il s'agit d'une importation française, donc coûteuse. Cependant, si on en prend soin, on peut la garder pendant des années. Vous en trouverez dans les boutiques spécialisées en équipement de pâtisserie.

Plaques à pâtisserie, moules à gâteau, moules à pain : L'exécution des recettes du livre requiert des plaques à pâtisserie standard de 42 cm sur 28 cm (17 po sur 11 po), des moules à gâteau de 23 cm sur 5 cm (9 po sur 1 3/4 po) ou de 20 cm sur 5 cm (8 po sur 1 3/4 po) et des moules à pain de 20 cm sur 10 cm (8 po sur 4 po). Dans la mesure du possible, procurez-vous des plaques et moules antiadhésifs.

Pinceaux à pâtisserie : Vous trouverez des pinceaux à pâtisserie dans les boutiques spécialisées en équipement de pâtisserie et de cuisinerie. On s'en sert surtout pour appliquer un glaçage à l'abricot sur les tourtes, pour imbiber un gâteau de sirop ou pour balayer l'excédent de farine d'une abaisse. Gardez vos pinceaux bien propres. Évitez que les poils détachés ne se retrouvent dans les pâtisseries.

Plaque de marbre : Une plaque de marbre est utile comme surface froide pour abaisser la pâte. Si possible, essayez d'en trouver une assez petite pour pouvoir être placée au réfrigérateur.

Poches à douille : La poche à douille est essentielle pour donner aux biscuits, aux gâteaux et aux crèmes des formes décoratives. C'est un ustensile bon marché, et il serait bien avisé d'en acheter de différentes tailles. Une grande poche de 40 cm (16 po) est idéale pour créer des biscuits et des choux, tandis qu'un petit sac de 20 cm (8 po) est parfait pour déposer du glaçage sur un gâteau. Une poche de taille moyenne 30 cm (12 po) peut se révéler utile également. Recherchez des poches souples, faites de tissu ou de plastique mince. On trouve aussi des poches jetables. C'est le profil, rond ou cannelé, de la douille insérée dans l'extrémité étroite de la poche qui détermine la forme de la pâte extrudée.

Règle ou ruban à mesurer : Pour mesurer les abaisses et les moules.

Rouleau à pâte : Le meilleur rouleau à pâte est celui avec lequel vous êtes à l'aise pour travailler. Pour abaisser des pâtes résistantes, comme la pâte feuilletée, vous aurez peut-être intérêt à utiliser un rouleau lourd.

Spatules de caoutchouc et cornes : La spatule de caoutchouc est l'ustensile idéal pour créer des mélanges aériens ou pour racler un bol. Le racloir de plastique à main fonctionne de la même façon que la spatule de caoutchouc; on s'en sert surtout pour les pâtes lourdes.

Spatules et spatules coudées : La spatule est l'ustensile le plus utile pour le tartinage et le glaçage des gâteaux. La spatule coudée sert à étendre une pâte déjà versée dans un moule. La spatule droite s'utilise pour le glaçage des gâteaux. À la quincaillerie, vous pourrez trouver des spatules triangulaires, idéales pour lisser les bords d'un gâteau.

Tamis et cribles : Vous aurez besoin d'un tamis à mailles fines pour tamiser des ingrédients secs et pour passer les crèmes et sauces délicates. Nous ne recommandons pas le tamis à farine manuel.

Tasses et cuillères à mesurer, balance : Pour réaliser les recettes du livre, vous aurez besoin d'une batterie de tasses et de cuillères à mesurer. Si vous cuisinez selon le système métrique, vous aurez besoin d'une balance exacte au gramme et d'une tasse à mesurer métrique.

Thermomètre à bonbons : Il sert à mesurer le degré de cuisson du sucre fondu. On en trouve dans les supermarchés et les épiceries fines. Il est très fragile. Ne plongez jamais un thermomètre à bonbons chaud dans l'eau froide.

Zesteur : Sert à obtenir du zeste d'agrumes. Pour obtenir le zeste le plus fin, prenez la râpe fine (voir illustration).

Techniques de base

Épluchage et étrognage des fruits : Pour peler et étrogner les fruits, l'idéal est d'utiliser un éplucheur de légumes à lame fixe, car cet ustensile économise un maximum de chair. Commencez toujours par couper le sommet et le bout du fruit avec l'extrémité de l'éplucheur. Puis, en vous aidant du bout de l'éplucheur, extrayez le sommet et la base du trognon. Pelez le fruit de haut en bas. Enlevez le reste de trognon avec une cuillère parisienne (tire-boule pour melon).

Farinage du plan de travail : Pour appliquer sur un plan de travail une couche de farine fine et uniforme, il faut « lancer » celle-ci plutôt que de la tamiser. Travaillez avec un minimum de farine.

Fusion du chocolat au bain-marie : Hachez toujours le chocolat au préalable afin d'en faciliter la fusion. Chauffé directement sur le feu, le chocolat brûlerait. On doit donc le faire fondre au bain-marie ou aux micro-ondes. Si vous optez pour cette dernière méthode, faites chauffer le chocolat à intensité élevée pendant trente secondes, remuez, puis chauffez de nouveau, à feu moyen, jamais plus de trente secondes à la fois. Surveillez l'opération de près et remuez souvent. Une chaleur trop intense risquerait de brûler le chocolat. Le chocolat ne devrait jamais être exposé à une température supérieure à 49 °C (120 °F), c'est-à-dire une température à peine plus élevée que celle du corps humain.

Hachage du chocolat et préparation de copeaux : On doit hacher les gros morceaux de chocolat sur une planche à découper, à l'aide d'un couteau bien tranchant. Pour vous faciliter la tâche, faites ramollir le bloc de chocolat quelque peu en le chauffant pendant environ dix secondes aux micro-ondes. On découpe les copeaux à partir d'un bloc de chocolat. Passez un épluche-légumes sur la surface plane du bloc. Si le chocolat se défait en flocons plutôt qu'en copeaux, réchauffez-en la surface en y posant la main.

Incorporation d'ingrédients : L'incorporation est la technique utilisée pour amalgamer délicatement des ingrédients, sans en chasser l'air. Dans cette technique, vous devez travailler à la spatule de caoutchouc. Faites remonter la pâte à partir du fond du bol et rabattez-la sur le dessus, tout en faisant tourner le bol de l'autre main. Les ingrédients de textures compatibles sont plus faciles à amalgamer.

Mesure des ingrédients secs et liquides : Mesurez toujours les ingrédients secs en plongeant la tasse ou la cuillère à mesurer dans l'ingrédient (farine, sucre, etc.), en remplissant celle-ci puis en égalisant la surface au couteau ou avec le doigt. On doit toujours mesurer les ingrédients liquides dans une tasse à mesurer exacte et propre. Si vous utilisez le système métrique, sachez que les ingrédients secs se mesurent en grammes et les ingrédients liquides en millilitres.

Remplissage de la poche à douille : Rabattez la partie supérieure de la poche comme s'il s'agissait du bord d'un pantalon. De la sorte, vous garderez cette section propre. Armez la poche de la douille souhaitée. Si la poche est neuve, vous devrez peut-être en tailler le bout au ciseau. Prenez soin toutefois de ne pas trop couper de tissu, car la douille passerait alors tout droit, et votre poche deviendrait inutilisable.

Séparation des œufs : On doit séparer les jaunes des blancs en se servant des coquilles. Cassez l'œuf sur un bord dur, séparez la coquille en deux au-dessus d'un bol, en gardant le jaune dans une moitié et en laissant le blanc s'écouler dans le bol. Transférer le jaune dans l'autre moitié, en laissant s'écouler l'excédent de blanc. Répéter l'opération trois ou quatre fois, jusqu'à ce que le blanc et le jaune soient séparés. Si une petite quantité de jaune tombe dans le blanc, récupérez-le à *l'aide d'une coquille vide. Faites attention, car si une quantité trop importante de jaune se trouve mêlée aux blancs, vous ne pourrez pas battre ceux-ci en neige.

Tamisage des ingrédient : On devrait toujours tamiser les ingrédients secs, particulièrement dans les recettes où ils se trouvent combinés. Nous préférons recueillir les ingrédients tamisés sur un papier sulfurisé plutôt que dans un bol. Le sucre ne fait pas partie des « ingrédients secs » à tamiser ensemble.

Utilisation de la gousse de vanille : On doit ouvrir la gousse de vanille et en enlever les graines en raclant avec le dos du couteau. On plonge les graines et la gousse ouverte dans un liquide et on laisse infuser. Il faut ensuite retirer la gousse et passer l'infusion avant de l'utiliser dans une recette.

Utilisation de la poche à douille : Ne remplissez jamais la poche complètement. Une poche remplie aux trois quarts donne les meilleurs résultats. Faites progresser la pâte ou le glaçage par pression vers la douille. Réunissez les bords de l'ouverture de la poche et refermez-la en tordant. D'une main, exercer une pression au sommet de la poche pour en exprimer délicatement le contenu. Efforcez-vous de déposer la pâte près de la surface à décorer, en tenant la poche à la verticale ou selon un certain angle Pour éviter les poches d'air, il est préférable de vider le sac complètement avant de le remplir de nouveau.

Les pâtes

Les pâtes

Pâte brisée
Pâte sucrée
Pâte feuilletée
Dorure à l'œuf
Pâte à choux

L'épithète « brisé » fait allusion à la texture friable de la pâte.

Pâte brisée

INGRÉDIENTS

400 g de farine tout usage **2 2/3 tasses**

12 g de sucre **1 c. à table**

3 g de sel **1/2 c. à thé**

125 g de beurre non salé froid **1/2 tasse**

125 g de shortening végétal **1/2 tasse**

125 ml d'eau glacée **1/2 tasse**

MÉTHODE

1 Tamiser ensemble les ingrédients secs dans un bol ou sur une surface de travail propre.

2 À l'aide d'un couteau ou d'un coupe-pâte en métal, incorporer les matières grasses dans les ingrédients secs. Défaire le beurre et le shortening végétal à la main en petits morceaux de la taille d'un pois.

3 Pratiquer un puits au centre du mélange et y verser l'eau.

4 Incorporer progressivement les ingrédients secs dans l'eau.

5 Mélanger délicatement jusqu'à ce que la pâte commence à être homogène. Ne pas trop pétrir la pâte, car elle risquerait alors de durcir.

6 Protéger la pâte d'une pellicule de plastique et la garder au réfrigérateur pendant au moins une heure avant de l'abaisser.

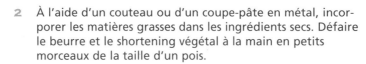

Donne assez de pâte pour une tarte à double abaisse de 23 cm (9 po) de diamètre ou deux fonds de tarte à simple abaisse de 23 cm (9 po) de diamètre.

Conservation :
Bien envelopper.
Réfrigérateur : 2 jours.
Congélateur : jusqu'à 6 semaines.

La pâte sucrée est idéale pour les croûtes utilisées dans les tartes aux fruits, au citron, au chocolat et aux amandes. Les quantités indiquées ici donnent plus de pâte qu'il n'en faut pour foncer un moule à tarte; votre travail s'en trouve donc facilité.

Pâte sucrée

INGRÉDIENTS

170 g de beurre non salé, à température ambiante **3/4 tasse**
75 g de sucre glace **2/3 tasse**
pincée de sel
2 jaunes d'œufs **2**
30 ml d'eau froide **2 c. à table**
250 g de farine tout usage tamisée **1 2/3 tasse**

MÉTHODE

1 Battre le beurre jusqu'à l'obtention d'une pâte crémeuse et homogène.

2 Incorporer le sucre glace et le sel.

3 Ajouter les jaunes d'œufs, un à la fois. Verser ensuite l'eau.

4 Incorporer la farine. Mettre la pâte sur une surface légèrement farinée, puis mélanger les ingrédients en écrasant la pâte avec la paume de la main, sans trop pétrir (voir les photos).

5 Aplatir la pâte en un disque plat, protéger d'une pellicule de plastique et garder au réfrigérateur pendant au moins deux heures avant d'abaisser.

Donne assez de pâte pour une tarte à simple abaisse de 23 cm à 26 cm (9 po à 10 po) de diamètre.

Conservation :
Bien envelopper.
Réfrigérateur : 2 jours.
Congélateur : jusqu'à 6 semaines.

La pâte feuilletée est celle utilisée dans les millefeuilles, les allumettes au fromage et les tartes feuilletées. Il est assez difficile de réussir la pâte feuilletée du premier coup. Il est essentiel de toujours laisser la pâte reposer entre les « tours » et de s'assurer que le beurre utilisé est toujours froid. Par temps sec, il peut être nécessaire d'ajouter quelques cuillerées d'eau à la pâte, laquelle doit être ferme et lisse, sans être collante ni sèche.

Pâte feuilletée

INGRÉDIENTS

562 g de farine tout usage **3 3/4 tasses**

20 g de sel **1 c. à table**

310 ml d'eau froide **1 1/4 tasse**

45 ml de beurre fondu **3 c. à table**

454 g de beurre non salé froid **1 1/4 tasse**

MÉTHODE

1   Tamiser la farine sur la surface de travail.

2   Fouetter ensemble l'eau et le sel.

3   Faire un puits au centre de la farine, y verser l'eau salée et le beurre fondu, puis incorporer la farine dans le liquide.

4   Partager la pâte en segments en l'« étranglant » (voir l'illustration). Pétrir de manière à obtenir une boule lisse, pratiquer une incision en forme de « X » à la surface, protéger d'une pellicule de plastique et garder une heure au réfrigérateur.

5   Entre temps, déposer le beurre froid entre deux morceaux de papier sulfurisé et le battre au rouleau à pâte jusqu'à ce qu'il soit à la fois malléable et encore froid, sans être mou ni liquide. Façonner le beurre en un carré de 15 cm (6 po) de côté et épais de 1/2 cm (1/4 po) environ. Protéger le beurre d'une pellicule de plastique et garder au réfrigérateur, près de la pâte, pendant les 30 minutes (pas plus longtemps). La pâte et le beurre devraient avoir à peu près la même texture.

Tours

6   Sur une surface légèrement farinée, abaisser la pâte aux quatre coins de manière à obtenir un carré aux angles arrondis, en veillant à ce que le centre soit plus épais que les coins.

7   Déposer le carré de beurre en losange sur le carré de pâte (voir photo).

8   Rabattre la pâte sur le beurre, comme si la pâte était une enveloppe et le beurre une lettre.

9   Déposer l'« enveloppe », fermetures orientées vers le haut, et commencer à abaisser le carré de au rouleau dans les deux sens. Commencer à abaisser la pâte à partir du centre, en roulant dans les deux directions.

Double

10 Quand on aura obtenu un rectangle d'environ 45 cm sur 25 cm (18 po sur 10 po), exécuter un tour dans la pâte en la repliant en tiers.

11 Bien protéger la pâte d'une pellicule de plastique et garder au réfrigérateur pendant au moins quatre heures.

12 Amener la pâte froide à température ambiante 10 minutes avant de reprendre le travail. Abaisser la pâte en un rectangle légèrement plus long que le premier. Replier les deux bords du rectangle de manière à ce qu'ils se rencontrent au centre de celui-ci. Replier alors en deux de nouveau. Ceci est un tour double.

13 Protéger la pâte d'une pellicule de plastique et remettre au réfrigérateur. Répéter les tours simples et doubles, toujours en prenant soin de bien protéger la pâte d'une pellicule de plastique et de la réfrigérer pendant quatre heures entre les tours.

14 Après le dernier tour, réfrigérer la pâte pendant encore quatre heures avant de l'utiliser. À la fin, on devrait avoir exécuté un tour simple, suivi d'un double, puis un autre tour simple lui-même suivi d'un tour double. Pendant la préparation de la pâte, on peut marquer celle-ci du bout des doigts afin d'identifier les tours, une empreinte correspondant à un tour simple et deux empreintes à un tour double.

Donne 1,5 kg (3 lb) de pâte feuilletée.

Conservation :
Bien envelopper.
Réfrigérateur : 2 jours.
Congélateur : jusqu'à 6 semaines.

Dorure à l'œuf

La dorure à l'œuf rehausse la couleur de la pâte cuite tout en lui donnant du luisant.

2 œufs 2
30 ml de lait **2 c. à table**
pincée de sel

1   Fouetter tous les ingrédients ensemble et filtrer avant d'utiliser.

2   Garder au réfrigérateur jusqu'à l'utilisation.

La pâte à choux subit deux cuissons : une première sur la cuisinière, et une seconde au four. Les choux qui en résultent sont croquants à l'extérieur et creux à l'intérieur.

Pâte à choux

Pâte à choux

INGRÉDIENTS

4 œufs **4**

125 ml d'eau **1/2 tasse**

125 ml de lait **1/2 tasse**

100 g de beurre non salé **7 c. à table**

3 g de sel **1/2 c. à thé**

7 g de sucre **1 c. à thé**

150 g de farine tout usage **1 tasse**

MÉTHODE

Préchauffer le four à 180° C (350° F). Préparer une plaque à pâtisserie doublée de papier sulfurisé.

1 Casser les œufs dans une grande tasse à mesurer et fouetter jusqu'à homogénéité.

2 Dans une casserole de taille moyenne, mélanger l'eau, le lait, le beurre, le sel et le sucre. Porter à ébullition, en remuant de temps à autre.

3 Verser toute la farine d'un seul coup. Remuer à la cuillère de bois jusqu'à l'obtention d'une pâte épaisse et collante.

4 Réduire le feu à moyen et remuer énergiquement le mélange jusqu'à ce que la pâte adhère au fond de la casserole et se détache des parois.

5 Mettre la pâte dans un bol de taille moyenne et incorporer les œufs battus, à raison de 2 cuillerées à table environ à la fois. Bien incorporer avant de procéder à l'ajout suivant.

6 Vérifier la consistance de la pâte : elle doit être luisante, homogène et assez épaisse pour garder sa forme.

7 Remplir une poche à douille de pâte et tracer les formes désirées sur le papier sulfurisé.

8 Badigeonner les choux de dorure à l'œuf. Cuire les choux au four pendant environ 30 minutes, ou jusqu'à ce qu'ils soient dorés et bien gonflés.

9 Laisser tiédir à température ambiante avant de farcir.

Conseil culinaire : Une fois la pâte à choux cuite, elle aura cessé de « craquer » à l'oreille.

Donne environ 50 choux.

Les gâteaux de base

Conseils et techniques

Conseils et techniques

- Préchauffez toujours le four.

- Évitez de trop mélanger la pâte au moment d'incorporer la farine, car ceci risquerait de produire un gâteau lourd.

- Prenez toujours soin de tamiser les ingrédients secs.

- Pour une cuisson uniforme, cuisez le gâteau au centre du four.

- Ne déplacez le gâteau ni n'ouvrez la porte du four pendant les vingt premières minutes de cuisson.

- Ne partagez jamais un gâteau avant qu'il ait complètement tiédi.

- Les gâteaux faits la veille sont meilleurs. Ils se tranchent plus aisément et s'émiettent moins.

- Faites toujours décongeler un gâteau congelé avant de le partager en étages.

- Protégez le gâteau d'une pellicule de plastique pour l'empêcher de sécher.

- Pour empêcher un gâteau congelé de devenir pâteux en décongelant, faites-le décongeler dans sa pellicule de plastique.

Beurrage et farinage du moule à gâteau

- Tracer et couper un cercle de papier sulfurisé de la grandeur du moule.

- À l'aide d'un pinceau à pâtisserie, appliquez une fine couche de beurre fondu à l'intérieur du moule.

- Placez un disque de papier sulfurisé au fond du moule.

- Badigeonnez le papier de beurre.

- Saupoudrez le moule beurré de farine.

- Faites tomber l'excédent de farine en frappant le moule.

On peut bien diviser les quantités indiquées ici par deux; toutefois, comme ce gâteau se laisse facilement congeler, il vaut la peine d'en préparer deux à la fois.

Génoise

INGRÉDIENTS

8 œufs **8**

250 g de sucre granulé **1 1/4 tasse**

250 g de farine tout usage **1 2/3 tasse**

MÉTHODE

Préchauffer le four à 180° C (350° F). Beurrer et fariner un moule à gâteaux rond de 23 cm (9 po) de diamètre

1   Tamiser la farine sur un morceau de papier sulfurisé.

2   Dans un bol de taille moyenne, fouetter les œufs et le sucre jusqu'à homogénéité.

3   Chauffer le mélange au bain-marie jusqu'à ce qu'il soit chaud au toucher.

4   En travaillant au malaxeur tournant à grande vitesse, battre le mélange pendant cinq minutes jusqu'à ce qu'il ait triplé de volume. Poursuivre à vitesse moyenne pendant encore cinq minutes. Le mélange doit atteindre la consistance d'un ruban, c'est-à-dire celle d'une mousse épaisse qui garde sa forme quand elle tombe du batteur.

5   Incorporer délicatement la farine au mélange à base d'œufs, à raison d'une cuillerée à table à la fois, à l'aide d'une grande spatule de caoutchouc. Ne pas trop mélanger, car la pâte tomberait.

6   Verser le mélange dans le moule préparé et placer immédiatement dans le four préchauffé.

7   Cuire pendant environ 25 minutes ou jusqu'à ce que le gâteau rebondisse sous la pression du doigt et qu'il commence à se détacher des bords du moule.

8   Laisser tiédir pendant 10 minutes. Démouler et laisser refroidir sur une grille métallique.

Pour la préparation d'une **Génoise au chocolat**, remplacer 35 g (1/4 tasse) de farine par 25 g (1/4 tasse) de cacao en poudre tamisé.

Donne deux gâteaux de 20 cm (8 po) de diamètre.
Conservation : Bien envelopper. Congélateur : 1 mois.

Ce rectangle de gâteau est assez souple pour être roulé en une bûche de Noël.

Gâteau roulé au chocolat

Gâteau roulé au chocolat

INGRÉDIENTS

40 g de farine tout usage **1/4 tasse**

30 g de cacao en poudre **1/3 tasse**

3 gros œufs **3**

3 gros œufs séparés **3**

150 g de sucre granulé **3/4 tasse**

pincée de sel

MÉTHODE

Préchauffer le four à 190° C (375° F). Doubler un moule à roulé à la gelée légèrement graissé de 45 cm sur 28 cm (17 po sur 11 po) d'une feuille de papier sulfurisé.

1 Tamiser la farine et le cacao sur un morceau de papier sulfurisé. En travaillant au malaxeur tournant à grande vitesse, battre ensemble dans un grand bol les œufs, les jaunes d'œufs, 125 ml (1/2 tasse) de sucre et le sel pendant 5 minutes. Poursuivre pendant encore 5 minutes à vitesse moyenne jusqu'à ce que le mélange soit très mousseux et qu'il ait doublé de volume.

2 Dans un autre bol propre, battre les blancs d'œufs au malaxeur tournant à grande vitesse. Ajouter petit à petit les 60 ml (1/4 tasse) de sucre restants, en battant jusqu'à la formation de pics mous.

3 À l'aide d'une spatule de caoutchouc, incorporer les blancs d'œufs au mélange à base de jaune d'œufs battus. Incorporer ensuite lentement la farine, à raison de quelques cuillerées à table à la fois.

4 Étendre uniformément le mélange dans le moule préparé et cuire au four pendant 15 minutes ou jusqu'à ce que le gâteau rebondisse sous la pression du doigt. Laisser tiédir complètement sur une grille métallique.

5 Passer un couteau dentelé autour des bords du moule, puis soulever le gâteau hors du moule en s'aidant du papier sulfurisé.

Préparation d'un **Gâteau roulé blanc** : Remplacer le mélange de farine et de cacao en poudre par 75 g (1/2 tasse) de farine tout usage.

Donne un gâteau de 42 cm sur 28 cm (17 po sur 11 po).
Conservation : Bien envelopper. Réfrigérateur : 2 jours.
Congélateur : 6 semaines.

Ce gâteau de Savoie des plus simples est délicieux servi accompagné de crème pâtissière ou de fruits. Il importe de ne pas trop battre les blancs, car le gâteau ne gonflerait pas comme il faut. Le gâteau de Savoie peut se confectionner aussi bien dans un moule décoratif que dans un moule ordinaire. Il peut remplacer la génoise.

Gâteau de Savoie

BOULANGERIE ET PÂTISSERIE

25

INGRÉDIENTS

4 jaunes d'œufs **4**

150 g de sucre granulé **3/4 tasse**

50 g de farine tout usage **1/3 tasse**

55 g de fécule de maïs **1/2 tasse**

15 ml de Grand Marnier *ou* de jus d'orange **1 c. à table**

10 ml d'extrait de vanille **2 c. à thé**

4 blancs d'œufs **4**

pincée de sel

sucre glace pour la décoration

MÉTHODE

Préchauffer le four à 180° C (350° F). Beurrer et fariner légèrement un moule à gâteau décoratif de 20 cm (8 po) de diamètre ou un moule à cheminée.

1   Tamiser la farine et la fécule de maïs ensemble et recueillir sur un morceau de papier sulfurisé.

2   Dans un grand bol, battre les jaunes d'œufs avec 125 g (1/2 tasse) de sucre jusqu'à ce que le mélange soit léger. Incorporer la vanille et le Grand Marnier, suivis de la farine et de la fécule de maïs. On devrait obtenir une pâte épaisse. Éviter de trop mélanger.

3   Battre les blancs d'œufs, le sucre restant et la pincée de sel à faible vitesse jusqu'à ce le mélange soit mousseux. Passer progressivement à la grande vitesse et battre jusqu'à la formation de pics durs.

4   En battant au fouet, incorporer le tiers des blancs dans la pâte. Incorporer ensuite le reste des blancs à l'aide d'une spatule de caoutchouc.

5   Verser le mélange dans le moule préparé et cuire au four préchauffé pendant 30 minutes ou jusqu'à ce que le gâteau éponge rebondisse sous la pression du doigt.

6   Démouler le gâteau encore chaud sur une grille métallique. Laisser tiédir, et saupoudrer le dessus du gâteau d'un peu de sucre glace tamisé.

Donne un gâteau de 20 cm (8 po).
Conservation : Bien envelopper. Réfrigérateur : quelques jours.
Congélateur : 6 semaines.

Ce sont des doigts de dame qu'on utilise pour la confection de la charlotte aux framboises (voir p. 77). Ils sont cuits en bandes rap-prochées pour faciliter le chemisage du moule. On cuit le reste de pâte en disques de 23 cm (7 po) de diamètre qui seront placés à la base et au centre de la charlotte. On saupoudre ce gâteau de deux couches de sucre glace afin d'obtenir une belle croûte. La pâte peut aussi se cuire en biscuits individuels, souvent servis avec le champagne.

Biscuits à la cuiller

Biscuits à la cuiller

I N G R É D I E N T S

5 blancs d'œufs **5**

125 g de sucre granulé **1/2 tasse et 2 c. à table**

5 jaunes d'œufs **5**

120 g de farine tout usage **2/3 tasse et 2 c. à table**

sucre glace

M É T H O D E

Préchauffer le four à 200° C (400° F). Armer la poche à douille d'une douille de 15 mm (3/4 po). Préparer deux feuilles de papier sulfurisé de la taille de deux plaques à pâtisserie ordinaires 28 cm sur 42 cm (11 po sur 17 po). Dessiner au crayon trois lignes parallèles au bord long de la feuille de papier à 8 cm (3 1/2 po) les unes des autres. En se guidant sur un moule de 20 cm (8 po) de diamètre, tracer deux cercles sur la deuxième feuille de papier sulfurisé. Placer les feuilles, côté dessins vers le bas, sur les plaques à pâtisserie.

1 Tamiser la farine sur un morceau de papier sulfurisé.

2 Dans un bol de taille moyenne très propre en acier inoxydable, battre les blancs d'œufs au malaxeur tournant à grande vitesse, en ajoutant le sucre peu à peu, à raison d'une cuillerée à table à la fois.

3 Continuer à battre à grande vitesse jusqu'à formation de pics très fermes.

4 Ajouter sans attendre les jaunes d'œufs, battre pendant 2 secondes puis éteindre la machine.

5 À l'aide d'une spatule de caoutchouc, incorporer la farine dans le mélange à base d'œufs.

6   Remplir la poche à douille de ce mélange.

7   En s'orientant sur les lignes tracées, déposer les doigts de dame sur le papier sulfurisé de manière qu'ils se touchent à peine. Avec le reste de pâte et en esquissant des spirales, tracer des disques à 2,5 cm (1 po) à l'intérieur des cercles tracés.

8   Une fois toute la pâte extrudée, saupoudrer la surface des doigts de dame et des disques de sucre glace. Attendre 5 minutes puis saupoudrer d'une autre couche de sucre glace.

9   Cuire au four jusqu'à ce que les biscuits commencent à se colorer, soit pendant environ 10 minutes.

10   Laisser tiédir complètement avant de décoller du papier sulfurisé.

Donne une quantité suffisante de doigts de dame pour tapisser et remplir une charlotte de 20 cm (8 po).

Conservation : Bien envelopper.
Congélateur : 6 semaines.

Ce riche gâteau au chocolat, parfumé aux amandes, est celui qui sert de base aux grands classiques, comme le Gâteau aux trois chocolats et aux amandes (voir p. 72).

Gâteaux au chocolat et aux amandes

INGRÉDIENTS

50 ml de beurre fondu **1/4 tasse**

50 g de cacao en poudre **1/2 tasse**

55 g de fécule de maïs **1/2 tasse**

210 g de pâte d'amandes **7 oz**

6 jaunes d'œufs **6**

140 g de sucre glace **1 1/4 tasse**

2 œufs **2**

6 blancs d'œufs **6**

70 g de sucre granulé **1/3 tasse**

MÉTHODE

Préchauffer le four à 180° C (350° F). Beurrer deux moules à gâteaux de 23 cm (9 po) de diamètre et doubler la base d'un disque de papier sulfurisé. Beurrer encore une fois puis fariner les moules.

1 Tamiser ensemble la fécule de maïs et le cacao en poudre. Faire fondre le beurre et laisser parvenir à température ambiante.

2 Dans un grand bol, mélanger la pâte d'amandes et le sucre glace au malaxeur ou au batteur électrique tournant à faible vitesse. Incorporer les jaunes d'œufs un à un, suivis des œufs, en raclant les parois du bol et en s'assurant que le mélange est homogène.

3 Dans un bol de taille moyenne, battre les blancs d'œufs au malaxeur tournant à grande vitesse. Ajouter progressivement le sucre gra-nulé et battre jusqu'à l'obtention de pics mous, mais déjà fermes.

4 Incorporer délicatement au mélange à base d'amande les blancs d'œufs battus, puis la fécule et enfin le beurre fondu.

5 Verser la pâte dans les moules préparés et cuire au four préchauffé pendant 45 minutes ou jusqu'à ce que la sonde à gâteau intro-duite dans un gâteau en ressorte propre.

Donne deux gâteaux de 23 cm (9 po).

*Conservation :
Bien envelopper.
Réfrigérateur : 2 jours.
Congélateur : 6 semaines.*

28 TECHNIQUES DE BASE

Cette meringue, ferme, est idéale pour la préparation de petits biscuits ou de « champignons » de meringue en trompe-l'œil, qui servent à décorer la bûche de Noël ou à enjoliver une assiette de biscuits de Noël.

Meringue française

INGRÉDIENTS

2 blancs d'œufs **2**

60 g de sucre granulé **5 c. à table**

55 g de sucre glace tamisé **1/2 tasse**

2 ml d'extrait d'amande **1/2 c. à thé**

2 ml d'extrait de vanille **1/2 c. à thé**

MÉTHODE

Préchauffer le four à 100° C (200° F).

1   En travaillant au malaxeur tournant à grande vitesse, battre les blancs d'œufs jusqu'à ce qu'ils soient mousseux et qu'ils commencent à blanchir.

2   Ajouter progressivement le sucre granulé, à raison d'une cuillerée à table à la fois et continuer de battre jusqu'à la formation de pics très fermes et luisants.

3   À l'aide d'une spatule de caoutchouc propre, incorporer le sucre glace, à raison d'une cuillerée à table à la fois, puis les extraits.

4   Déposer la pâte sur les plaques, en lui donnant la forme désirée à l'aide de la poche à douille.

Champignons en meringue

1   Réserver environ 50 ml (1/4 tasse) de meringue et garder dans un contenant couvert.

2   À l'aide d'une poche armée d'une douille ronde de 1 cm (1/2 po), déposer les chapeaux et les tiges de champignons séparément sur les plaques à pâtisserie doublées de papier sulfurisé.

3   Tamiser du cacao en poudre sur les chapeaux de champignon et cuire au four chaud jusqu'à ce qu'ils soient fermes et secs, soit pendant environ trois heures. Éteindre le four et laisser refroidir complètement au four froid.

4   En se servant de la meringue réservée, coller les tiges aux chapeaux et cuire de nouveau les champignons entiers dans un four préchauffé à 100 °C (200 °F) pendant encore 30 minutes. Garder les champignons dans un contenant fermé jusqu'à utilisation.

Donne environ 30 champignons.

Conservation : On doit conserver les meringues à température ambiante, dans un contenant fermé. Ne jamais les réfrigérer.

Les crèmes et les sauces

Les crèmes et les sauces

Crème Chantilly
Crème pâtissière
Crème légère
Crème au beurre
Crème mousseline
Crème d'amandes
Crème au citron
Ganache classique
Glaçage ganache
Crème anglaise
Sauce au caramel
Sauce au chocolat
Compote de pommes
Coulis de fruits
Mousse aux fruits
Bavarois à la vanille
Mousse au chocolat

La crème Chantilly est bien plus qu'une simple crème fouettée; c'est une crème fouettée sucrée et parfumée. On l'utilise pour décorer et fourrer pâtisseries, gâteaux et desserts.

Crème Chantilly

INGRÉDIENTS

500 ml de crème à fouetter (35 %) **2 tasses**

50 g de sucre granulé **1/4 tasse**

5 ml d'extrait de vanille **1 c. à thé**

Donne 500 ml (2 tasses).
Conservation : Bien protéger d'une pellicule de plastique.
Réfrigérateur : 1 journée.

MÉTHODE

1 Laisser le bol à mélanger et les batteurs ou le fouet au réfrigérateur pendant 15 minutes avant de préparer la crème.

2 Fouetter ensemble tous les ingrédients dans le bol réfrigéré et battre au malaxeur à vitesse moyenne jusqu'à la formation de pics durs.

3 Protéger la crème Chantilly d'une pellicule de plastique et la garder au réfrigérateur jusqu'au moment d'utiliser.

Crème pâtissière

Cette crème cuite s'utilise beaucoup dans les pâtisseries et les gâteaux français.

INGRÉDIENTS

250 ml de lait **1 tasse**

5 ml d'extrait de vanille **1 c. à thé**

50 g de sucre granulé **1/4 tasse**

3 jaunes d'œufs **3**

18 g de fécule de maïs
2 1/2 c. à table

4 g de beurre non salé **1 c. à thé**

Donne 375 ml (1 1/2 tasse).
Conservation : Réfrigérateur : 5 jours.
On ne doit pas la congeler.

MÉTHODE

1 Dans une petite casserole, porter le lait à ébullition avec la vanille et la moitié du sucre.

2 Entre-temps, battre les jaunes d'œufs énergiquement dans un petit bol avec le reste de sucre jusqu'à homogénéité. Ajouter la fécule de maïs et bien incorporer en fouettant.

3 Verser le tiers du lait bouillant dans le mélange à base de jaunes d'œufs et fouetter jusqu'à homogénéité.

4 Verser les jaunes d'œufs dilués dans la casserole contenant le lait chaud. En fouettant sans arrêt, chauffer la préparation jusqu'à ce qu'elle commence à bouillir. Laisser bouillir pendant 30 secondes, toujours en fouettant. Incorporer le beurre au fouet.

5 Verser la crème dans un bol propre peu profond. Recouvrir immédiatement d'une pellicule de plastique et réfrigérer.

Crème légère

Cette crème est une crème pâtissière rendue légère par l'ajout de crème Chantilly. Elle est idéale pour garnir les tartes aux fruits.

Crème légère

1 portion de crème pâtissière (p. 32) **1**
1/2 portion de crème Chantilly (p. 32) **1/2**
4 ml d'alcool aromatisé (kirsch, Grand Marnier, rhum, etc.) **3 c. à table**

MÉTHODE

1   Dans un bol de taille moyenne, fouetter la crème pâtissière froide jusqu'à ce qu'elle soit onctueuse et exempte de grumeaux. Incorporer d'abord le tiers de la crème Chantilly au fouet, puis, à l'aide d'une spatule de caoutchouc, incorporer lentement le reste de crème Chantilly.

Donne 500 ml (2 tasses).
Conservation : Bien envelopper.
Réfrigérateur : 1 journée.
On ne doit pas la congeler.

La crème au beurre est un ingrédient essentiel dans la confection des gâteaux. Une crème au beurre réussie n'est ni trop lourde, ni trop sucrée.

Crème au beurre

INGRÉDIENTS

350 g de sucre granulé **1 3/4 tasse**

175 ml d'eau **3/4 tasse**

5 jaunes d'œufs **5**

2 œufs **2**

680 g de beurre non salé à température ambiante **3 tasses**

15 à 22 ml d'extrait de vanille **1 à 1 1/2 c. à table**

Donne 1,6 L (6 1/2 tasses).

MÉTHODE

1. Réunir l'eau et le sucre dans une petite casserole très propre. En chauffant à feu vif, porter à ébullition. Lorsque le sirop commence à bouillir, nettoyer le pourtour de la casserole avec un pinceau à pâtisserie mouiller afin d'éviter l'accumulation de cristaux de sucre.

2. Fixer un thermomètre à bonbons à la casserole et laisser bouillir jusqu'à ce que le sirop atteigne la température de 120° C (250° F).

3. En travaillant au malaxeur tournant à grande vitesse, battre les jaunes d'œufs et les œufs entiers dans un bol de taille moyenne jusqu'à ce que le mélange soit mousseux.

4. Toujours en battant sans arrêt à grande vitesse, verser le sirop brûlant en un mince filet dans les œufs.

5. Une fois tout le sirop versé, continuer à battre le mélange pendant cinq minutes à grande vitesse, puis réduire la vitesse et battre la préparation jusqu'à ce qu'elle redescende à température ambiante (vérifier au toucher).

6. Commencer à incorporer le beurre, à raison de quelques cuillerées à table à la fois, et battre au malaxeur tournant à grande vitesse jusqu'à ce que la crème soit parfaitement homogène, de couleur blanche et qu'elle forme des pics durs. Incorporer la vanille en battant.

*Conservation : Bien protéger d'une pellicule de plastique.
Réfrigérateur : 1 semaine. Congélateur : 6 semaines.*

34 TECHNIQUES DE BASE

Cette crème riche est un hybride de la crème au beurre et de la crème pâtissière. On doit l'utiliser sur-le-champ, car elle durcit après avoir été réfrigérée.

Crème mousseline

crème mousseline

INGRÉDIENTS

375 ml de lait **1 1/2 tasse**

150 g de sucre granulé **3/4 tasse**

1 œuf **1**

1 jaune d'œuf **1**

40 g de fécule de maïs **1/3 tasse**

170 g de beurre non salé à température ambiante **3/4 tasse**

MÉTHODE

1 Porter le lait avec la moitié du sucre à ébullition dans une grande casserole.

2 Entre-temps, dans un petit bol, battre énergiquement l'œuf et le jaune d'œuf avec le reste de sucre jusqu'à homogénéité. Ajouter la fécule de maïs et fouetter jusqu'à l'obtention d'une crème très onctueuse.

3 Verser le tiers du lait bouillant dans le mélange à base d'œuf et fouetter jusqu'à homogénéité.

4 Verser le mélange à base œuf dilué dans la casserole de lait et chauffer à feu vif. Fouetter sans arrêt jusqu'à ébullition. Laisser bouillir pendant 30 secondes, tout en fouettant. Incorporer la moitié du beurre.

5 Verser la crème dans un bol propre peu profond, protéger immédiatement d'une pellicule de plastique et mettre au réfrigérateur. Laisser refroidir toute la nuit.

6 Retirer la crème du réfrigérateur et laisser tiédir pendant 15 minutes. Pour poursuivre l'exécution de la recette, la crème doit être à température ambiante.

7 Battre la crème au malaxeur dans un bol de taille moyenne jusqu'à homogénéité. Commencer à incorporer le beurre, à raison de quelques cuillerées à table à la fois et continuer de battre à grande vitesse jusqu'à ce que la crème soit parfaitement onctueuse et qu'elle forme des pics durs.

8 Utiliser sans tarder au besoin.

Donne environ 750 ml (3 tasses).

Cette crème d'amandes exige d'être cuite. Au fond d'une tourte ou d'une tarte, elle forme une couche semblable au gâteau.

Crème d'amandes

INGRÉDIENTS

60 g de beurre non salé **1/4 tasse**

90 g d'amandes moulues **3/4 tasse**

75 g de sucre granulé **6 c. à table**

2 œuf **2**

20 g de farine **2 c. à table**

5 ml d'extrait de vanille **1 c. à thé**

2 ml d'extrait d'amande **1/2 c. à thé**

MÉTHODE

1 En travaillant au malaxeur tournant à grande vitesse dans un bol de taille moyenne, battre le beurre jusqu'à ce qu'il soit onctueux et crémeux. Toujours en battant, incorporer le sucre et les amandes moulues.

2 En battant, incorporer les œufs, puis les extraits de vanille et d'amandes.

3 Utiliser la crème immédiatement ou la conserver au réfrigérateur, bien protégée d'une pellicule de plastique.

Donne 325 ml (1 1/3 tasse).

Conservation : Bien protéger d'une pellicule de plastique. Réfrigérateur : 4 jours.

Cette crème au citron, piquante, sert à la confection de la tarte au citron. Elle donne aussi une très bonne farce pour les tartes aux fruits; il suffit de suivre la recette de crème légère (voir p. 34), en remplaçant la crème pâtissière par la crème au citron.

Crème au citron

INGRÉDIENTS

250 g de jus de citron fraîchement pressé **1 tasse**
zeste de trois citrons
250 g de sucre granulé **1 1/4 tasse**
210 g de beurre non salé **1 tasse**
4 œufs **4**
4 jaunes d'œufs **4**

MÉTHODE

1 Porter à ébullition le jus de citron, le zeste, la moitié du sucre et la moitié du beurre dans une casserole d'acier inoxydable de taille moyenne chauffée à feu vif.

2 Entre-temps, dans un petit bol, battre énergiquement les œufs et les jaunes d'œufs avec le reste de sucre jusqu'à homogénéité.

3 Verser le tiers du jus de citron bouillant dans le mélange à base d'œufs et fouetter jusqu'à l'obtention d'une crème onctueuse.

4 Verser le mélange à base d'œuf dans la casserole, réduire le feu à moyen et remuer la préparation sans arrêt jusqu'à ce qu'elle épaississe à la nappe. Incorporer le reste de beurre, à raison d'une cuillerée à table à la fois, en fouettant jusqu'à ce que le mélange soit très épais, luisant et onctueux. Il ne faut laisser la crème bouillir à aucun moment.

5 Verser immédiatement la crème dans une croûte à tarte cuite de 23 cm (9 po) de diamètre ou bien la mettre dans un bol propre peu profond, protéger immédiatement d'une pellicule de plastique et garder au réfrigérateur. Laisser refroidir pendant toute la nuit.

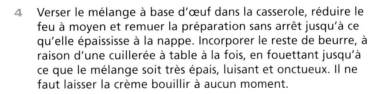

*Donne 875 g
(3 1/2 tasses).*

*Conservation : Dans un contenant hermétique.
Réfrigérateur : 1 semaine.
Congélateur : 2 semaines.*

La ganache peut être utilisée de multiples façons. Sous sa forme liquide, elle sert de glaçage. Solide, elle peut servir de base aux truffes en chocolat ou de garniture pour les gâteaux et les pâtisseries.

Ganache classique

170 g de chocolat mi-amer *ou* mi-sucré haché finement **6 oz**

185 ml de crème à fouetter (35 %) **3/4 tasse**

MÉTHODE

1   Hacher le chocolat en morceaux très petits et mettre dans un bol de taille moyenne.

2   Porter la crème à ébullition dans une petite casserole. Verser la moitié de la crème sur le chocolat et remuer la cuillère de bois ou à la spatule de caoutchouc.

3   Dès que le mélange est onctueux, incorporer petit à petit la crème restante, par petites quantités. Remuer jusqu'à ce que la préparation soit onctueuse et luisante, et que le chocolat ait complètement fondu.

Donne environ 375 g (1 1/2 tasse).
Conservation : Bien protéger d'une pellicule de plastique. Réfrigérateur : 1 semaine.

Glaçage à la ganache

Voici un glaçage, riche et lourd, qui ne doit pas être trop aérien.

INGRÉDIENTS

1 portion de ganache (voir ci-haut) **1**

37 g de sucre glace **1/4 tasse**

55 g de beurre non salé, à température ambiante **1/4 tasse**

MÉTHODE

1   Laisser la ganache à température ambiante jusqu'à ce qu'elle se soit figée (soit pendant environ deux heures dans un endroit frais, non pas au réfrigérateur).

2   En travaillant au malaxeur dans un bol de taille moyenne, incorporer le beurre et le sucre glace dans la ganache. Battre jusqu'à ce que le glaçage soit onctueux et qu'il garde sa forme.

Donne environ 550 ml (2 1/4 tasses).

Crème anglaise

Crème anglaise

INGRÉDIENTS

500 ml de lait **2 tasses**
10 ml d'extrait de vanille **2 c. à thé**
100 g de sucre granulé **1/2 tasse**
5 jaunes d'œufs **5**

MÉTHODE

1. Préparer un bain de glace et réserver un bol propre de taille moyenne et un tamis fin.

2. Porter à ébullition le lait avec l'extrait de vanille et la moitié du sucre dans une casserole de taille moyenne.

3. Entre-temps, battre énergiquement les jaunes d'œufs dans un petit bol avec le reste de sucre jusqu'à homogénéité.

4. Verser le tiers du lait bouillant dans le mélange à base de jaune d'œuf et fouetter jusqu'à homogénéité.

5. Verser le mélange d'œufs dilués dans la casserole de lait. Chauffer à feu doux. Plonger un thermomètre à bonbons dans la préparation et continuer à chauffer, tout en fouettant, jusqu'à ce que la température atteigne 85° C (185° F).

6. Filtrer la crème immédiatement en la récupérant dans le bol préparé et la laisser refroidir dans un bain de glace.

7. Protéger d'une pellicule de plastique et garder au réfrigérateur.

*Donne 625 ml
(2 1/2 tasses).
Conservation :
Réfrigérateur : 3 jours.*

Sauce caramel

Sauce caramel

250 g de sucre granulé **1 1/4 tasse**
55 g de sirop de maïs blanc **1/4 tasse**
14 g de beurre **1 c. à table**
310 ml de crème à fouetter (35 %) **1 1/4 tasse**
5 ml d'extrait de vanille **1 c. à thé**
pincée de sel

MÉTHODE

1 Chauffer le sucre et le sirop de maïs à feu moyen dans une petite casserole.

2 Remuer la préparation jusqu'à ce qu'elle prenne la couleur d'un caramel foncé.

3 Retirer du feu et ajouter le beurre. En fouettant, incorporer petit à petit la crème et la vanille.

4 Laisser de nouveau bouillir pendant quelques minutes. Filtrer et laisser tiédir.

5 Servir à température ambiante.

Donne environ 375 ml (1 1/2 tasse).

Sauce au chocolat

Sauce au chocolat

INGRÉDIENTS

250 ml de lait 1 tasse

30 ml de sirop de maïs blanc *ou* de miel 2 c. à thé

210 g chocolat mi-sucré 7 oz

MÉTHODE

1   Hacher le chocolat en petits morceaux et mettre dans un bol de taille moyenne.

2   Porter la crème à ébullition dans une petite casserole. Verser la moitié de la crème sur le chocolat et remuer la cuillère de bois ou à la spatule de caoutchouc. Quand le mélange est homogène, incorporer progressivement le reste de crème, par petites quantités.

3   Servir chaud.

Donne environ 375 ml (1 1/2 tasse).

Compote de pommes

La compote de pommes connaît bien des usages en cuisine. En pâtisserie, on l'emploie souvent comme base de tarte aux pommes à la française.

INGRÉDIENTS

454 g de pommes, soit environ 6 pommes 1 lb

150 g de sucre granulé 3/4 tasse

500 ml d'eau 2 tasses

1 gousse de vanille *ou* 10 ml d'extrait de vanille
2 c. à thé

1 bâton de cannelle *ou* 2 ml de cannelle
1/2 c. à thé

MÉTHODE

1   Peler, épépiner, évider les pommes puis les couper en grands cubes.

2   Mélanger le sucre, l'eau, les cubes de pommes et les épices dans une grande casserole.

3   Cuire pendant 20 minutes en remuant souvent à feu mi-faible ou jusqu'à ce que la majeure partie de l'eau se soit évaporée. Retirer du feu et amener à la température ambiante.

4   Retirer le bâton de cannelle et la gousse de vanille puis passer la compote dans un tamis ou un moulin à légumes en exerçant une pression. Récupérer la compote dans un bol propre peu profond. Protéger d'une pellicule de plastique et garder au réfrigérateur.

Donne environ 375 ml (1 1/2 tasse).
Conservation : Réfrigérateur : 1 semaine. On peut la congeler, mais il n'est pas conseillé de le faire.

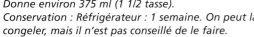

Coulis de fruits

500 g de fruits frais (fraises, framboises, kiwis *ou* mangue) **1 lb**

jus de 1 citron

50 g de sucre **1/4 tasse**

15 ml de kirsch *ou* d'un autre alcool (facultatif) **1 c. à table**

MÉTHODE

1 Laver les fruits au besoin.

2 En retirer les tiges ou la peau.

3 Découper les fruits en petits morceaux. Incorporer le jus de citron, le sucre et l'alcool. Couvrir et garder au réfrigérateur pendant toute la nuit.

4 Réduire les fruits en purée homogène au mélangeur ou au robot culinaire puis filtrer pour enlever tous les pépins.

5 Ajouter un peu plus de sucre, au goût.

Donne environ 440 ml (1 3/4 tasse).
Conservation : Réfrigérateur : 3 jours. Congélateur : 6 mois.

Si vous préparez le coulis à partir de fruits très sucrés et très mûrs, vous pouvez vous permettre d'omettre le sucre glace. La mousse se prête aussi bien à la confection de la charlotte.

Mousse aux fruits

INGRÉDIENTS

5 feuilles de gélatine *ou* 9 g de gélatine en poudre **2 1/2 c. à thé**

500 ml de crème à fouetter (35 %) **2 tasses**

14 g de sucre glace **2 c. à table**

250 ml de coulis de fruits à température ambiante **1 tasse**

MÉTHODE

1   Tremper les feuilles de gélatine une à une dans un petit bol d'eau froide et réserver. Si c'est de la gélatine en poudre qu'on utilise, la faire tomber en pluie dans 50 ml (1/2 tasse) d'eau froide et la laisser gonfler.

2   Dans un petit bol, battre la crème à 35 % avec le sucre glace au malaxeur jusqu'à la formation de pics très mous. Mettre au réfrigérateur.

3   Retirer les feuilles de gélatine du bol, les presser pour enlever l'excédent d'eau et faire fondre aux micro-ondes (20 secondes à intensité élevée) ou dans le petit bol de métal d'un bain-marie. La gélatine ne doit pas être trop chaude, juste tiède. Si c'est de la gélatine en poudre qu'on utilise, faire fondre en utilisant la même méthode.

4   Verser le tiers du coulis dans la gélatine tiède. Incorporer le reste de coulis au fouet et le tiers de la crème fouettée. Incorporer le reste de crème et verser dans un bol de service, des coupes à dessert individuelles ou dans un gâteau moulé.

5   Réfrigérer pendant six heures avant de servir.

Donne 750 ml (3 tasses).

Le bavarois est semblable à la mousse aux fruits, mais sa base est une crème anglaise gélatinisée plutôt qu'une purée de fruits. Évitez de trop faire cuire la crème anglaise, car le bavarois ne serait pas onctueux.

Bavarois à la vanille

INGRÉDIENTS

330 ml de lait **1 1/3 tasse**

10 ml d'extrait de vanille **2 c. à thé** *ou* **1/2** gousse de vanille

100 g de sucre granulé **1/2 tasse**

4 jaunes d'œufs **4**

3 feuilles de gélatine *ou* 7 g de gélatine en poudre **2 c. à thé**

410 ml de crème à fouetter (35 %) **1 2/3 tasse**

MÉTHODE

1   Tremper les feuilles de gélatine une à une dans un petit bol d'eau froide et réserver. Si c'est de la gélatine en poudre qu'on utilise, la faire tomber en pluie dans 50 ml (1/4 tasse) d'eau froide et la laisser gonfler.

2   Dans un petit bol, battre la crème à 35 % au malaxeur jusqu'à la formation de pics très mous. Mettre au réfrigérateur.

3   Préparer un bain de glace, un bol de taille moyenne bien propre et un tamis fin.

4   Porter le lait avec la vanille et la moitié du sucre à ébullition dans une casserole de taille moyenne.

5   Entre-temps, dans un petit bol, battre énergiquement les jaunes d'œufs avec le reste de sucre jusqu'à homogénéité.

6   Verser le tiers du lait bouillant dans le mélange à base de jaunes d'œufs et fouetter jusqu'à l'obtention d'une crème onctueuse.

7   Verser le mélange à base d'œufs dilués dans la casserole de lait. Chauffer à feu doux. Plonger un thermomètre à bonbons dans le mélange et chauffer la préparation, tout en fouettant, jusqu'à ce que la température atteigne 85° C (185° F). Retirer du feu.

8   Filtrer la crème immédiatement et la récupérer dans le bol préparé. Retirer les feuilles de gélatine du bol, les presser pour enlever l'excédent d'eau et les incorporer dans la crème anglaise au fouet. Si l'on utilise de la gélatine en poudre, incorporer la gélatine gonflée dans la crème anglaise chaude au fouet.

9   Placer le bol dans le bain de glace. Laisser la préparation épaissir, tout en remuant lentement et constamment.

10   En fouettant, incorporer immédiatement le tiers de la crème fouettée dans le mélange. Incorporer le reste de crème à l'aide d'une spatule de caoutchouc.

11   Verser dans des verres à dessert ou dans un moule à charlotte.

Donne environ 750 ml (3 tasses), soit une quantité suffisante pour remplir une charlotte de 20 cm (8 po).

Ne réfrigérer pas la mousse au chocolat une fois celle-ci fouettée, car elle deviendrait alors trop épaisse. Par ailleurs, plus vous utiliserez un chocolat de qualité, plus votre mousse sera riche et délicieuse.

Mousse au chocolat

INGRÉDIENTS

50 g de sucre **1/4 tasse**

50 ml d'eau **1/4 tasse**

3 jaunes d'œufs **3**

180 g de chocolat mi-sucré **6 oz**

375 ml de crème à fouetter (35 %) **1 1/2 tasse**

MÉTHODE

1 Dans un petit bol, battre la crème à 35 % au malaxeur jusqu'à la formation de pics très mous.

2 Amener de l'eau à ébullition lente dans une petite casserole. Couper le chocolat en petits morceaux et mettre dans un petit bol d'acier inoxydable. Placer le bol au-dessus de l'eau frémissante et laisser fondre le chocolat, en remuant souvent, à feu moyen, jusqu'à ce qu'il soit très chaud au toucher. Réserver.

3 Dans un petit bol d'acier inoxydable, fouetter énergiquement les jaunes d'œufs, le sucre et l'eau jusqu'à homogénéité. Placer le bol au-dessus de l'eau frémissante et fouetter le mélange à la main jusqu'à ce qu'il passe de l'état liquide à celui de mousse épaisse. Retirer du feu.

4 À l'aide du malaxeur à main, battre la préparation à grande vitesse jusqu'à qu'elle refroidisse. Elle devrait être crémeuse et avoir doublé de volume.

5 Verser le tiers de la crème fouettée dans le chocolat chaud et battre jusqu'à homogénéité. Incorporer le mélange à base de jaunes d'œufs et mélanger à l'aide d'une spatule de caoutchouc. Incorporer le reste de crème. Mélanger juste un peu.

6 Verser la mousse dans un bol de service décoratif ou utiliser pour confectionner le gâteau à la mousse au chocolat de la p. 79. Réfrigérer pendant six heures avant de servir.

Donne 750 ml (3 tasses), soit suffisamment pour confectionner un gâteau à la mousse au chocolat de 20 cm (8 po) de diamètre.

Les tartes

Conseils et techniques

Conseils et techniques

On peut conférer à de la pâte des formes variées. Faites des expériences avec des moules carrés, rectangulaires ou des moules à tartes individuelles.

Abaissage de la pâte et fonçage d'un moule à tarte

1 Couper la pâte froide en petits morceaux. Réchauffer les morceaux dans le creux de la main, puis les recoller ensemble par pression.

2 Façonner un disque mince, en repliant les bords sous le disque, afin d'obtenir une bordure régulière.

3 Fariner légèrement la surface de travail et le dessus de la pâte.

4 Écraser la pâte au rouleau en roulant du centre vers les bords.

5 Commencer à abaisser la pâte, toujours en roulant du centre vers les bords. Après trois ou quatre passages de rouleau, faire pivoter la pâte pour obtenir un disque régulier et pour empêcher celle-ci d'adhérer à la surface de travail. Ajouter de la farine au besoin, mais éviter l'excès, car toute cette farine absorbée par la pâte donnerait une croûte dure à la cuisson.

6 Si la pâte se fendille, il suffit de colmater les brèches. Si un trou se forme, le boucher avec un peu de pâte.

7 L'abaisse ne doit pas être épaisse de plus de 3 mm (1/16 po). Si la pâte est trop molle pour être travaillée, l'abaisser sur une plaque à pâtisserie et laisser durcir au réfrigérateur.

8 Enrouler l'abaisse autour du rouleau à pâte et la dérouler dans le moule.

9 Soulever les côtés de l'abaisse et l'enfoncer fermement dans les coins du moule.

10 Rabattre la partie de l'abaisse en surplomb de manière à former un bord sur le pourtour du moule. Pincer le bord de manière à former une bordure sur le pourtour du moule. Réfrigérer pendant au moins 30 minutes avant d'enfourner.

Préparation de la pâte sucrée à l'aide d'une râpe

On râpe de la pâte sucrée. On colle ensuite les râpures obtenues contre les parois et au fond du moule à tarte.

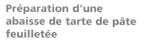

Cuisson à blanc des croûtes à tarte de pâte brisée et de pâte sucrée

1 Préchauffer le four à 190 °C (375 °F).

2 Piquer l'abaisse crue à la fourchette sur toute sa surface. Recouvrir la pâte d'un grand disque de papier sulfurisé et remplir de billes de porcelaines, de haricots secs ou de riz. Ces ingrédients inertes ont pour fonction de maintenir la croûte en place.

3 Cuire le fond de tarte au four pendant 15 minutes ou jusqu'à ce que le bord de la croûte commence à prendre couleur. Retirer du four. Enlever les billes de porcelaine et le papier sulfurisé, puis poursuivre la cuisson jusqu'à ce que la croûte soit à point et dorée.

4 Retirer du four et laisser refroidir sur une grille métallique.

Préparation d'une abaisse de tarte de pâte feuilletée

Pour la réalisation d'une tarte aux fruits frais (jardinière), on peut prendre une croûte de pâte feuilletée plutôt que de pâte sucrée.

1 Déposer un carré de pâte feuilletée froide sur une grande surface farinée. Aplatir la pâte en roulant de haut en bas. Faire pivoter la pâte d'un quart de tour et aplatir en roulant dans l'autre sens. Poursuivre de même jusqu'à ce que la pâte soit suffisamment plate pour être abaissée.

2 Abaisser la pâte, en roulant dans les deux sens, de manière à obtenir un rectangle dont les côtés soient dans un rapport de quatre à trois environ. L'épaisseur de la pâte devrait correspondre à celle de deux pièces de monnaie superposées, soit environ 3 mm (1/8 po).

3 Au moyen d'un grand couteau bien aiguisé ou d'un coupe-pizza, et en s'aidant d'une règle, rectifier les bords de la pâte, en en économisant autant que possible. Au couteau, prélever à chaque côté du rectangle une bande de 2,5 cm (1 po) de large; réserver. Tailler le reste de la pâte au format de tarte souhaité. Plier la pâte en deux et la déposer sur une plaque à pâtisserie. Piquer la pâte à la fourchette sur toute la surface.

4 Badigeonner d'eau les quatre bords du rectangle de pâte et y appliquer les bandes de 2,5 cm (1 po) réservées à l'étape précédente, à 6 mm (1/4 po) des bords. À ce stade-ci, l'abaisse est plate, mais plus tard, au sortir du four, elle aura l'aspect d'une boîte. Protéger l'abaisse d'une pellicule de plastique et réfrigérer pendant au moins 30 minutes.

Cuisson de la croûte de pâte feuilletée

1 Préchauffer le four à 200 °C (400 °F).

2 Sortir le fond de tarte du réfrigérateur et badigeonner les quatre bandes de dorure à l'œuf.

3 Cuire le fond de tarte au four pendant environ 30 minutes ou jusqu'à ce qu'il soit bien doré. Retirer du four et laisser refroidir sur une grille métallique.

Voici la recette de la tarte aux pommes traditionnelle, version nord-américaine. Il faut absolument prendre ici des Golden, des Cortland ou des Granny Smith, ou un mélange des trois, c'est-à-dire des variétés qui gardent leur forme à la cuisson.

Tarte aux pommes

INGRÉDIENTS

Garniture

8 pommes à cuire au four 8

jus de 1 citron

100 à 140 g de sucre granulé
1/2 à 2/3 tasse

pincée de sel

43 g de beurre 3 c. à table

1 gousse de vanille ouverte
et raclée 1

1 bâton de cannelle 1

7 g de fécule de maïs 1 c. à table

45 ml d'eau 3 c. à table

1 portion de pâte brisée (p. 14) 1

dorure à l'œuf (p. 18)

25 g de sucre granulé 2 c. à table

Préchauffer le four à 220 °C (425 °F). Préparer un moule à tarte non graissé de 25 cm (10 po) de diamètre et de 3,5 cm (1 1/2 po) de profondeur.

1 Préparation de la garniture : Peler et étrogner les pommes puis les couper en cubes de 2,5 cm (1 po). Mettre dans un grand bol et remuer dans le jus de citron.

2 Faire fondre le sucre avec le sel dans une grande poêle chauffée à feu vif. Poursuivre la cuisson jusqu'à ce que le mélange prenne la couleur d'un caramel foncé et qu'il commence à dégager de la fumée. Éteindre le feu et incorporer rapidement le beurre et les pommes. Chauffer de nouveau, à feu moyen, puis ajouter la gousse de vanille et le bâton de cannelle. Laisser mijoter, en remuant délicatement de temps à autre, jusqu'à ce que les pommes soient tendres.

3 Mettre la préparation dans une passoire et recueillir le liquide dans un bol. Laisser égoutter complètement. Verser le liquide dans la poêle, hors feu.

4 Dans un petit bol, battre ensemble au fouet la fécule de maïs et l'eau. Porter le liquide à ébullition lente dans la poêle puis, en battant au fouet, lui incorporer la fécule de maïs délayée. Laisser bouillir pendant 10 secondes, en battant sans arrêt. Retirer du feu. On devrait obtenir un liquide épais. S'il est trop épais, l'étendre d'un peu d'eau.

5 Dans un grand bol, mélanger les pommes sautées et le liquide épaissi. Réserver.

6 Assemblage de la tarte : Partager la pâte en deux et aplatir chaque moitié en un disque. Abaisser chaque portion en un disque de 35 cm (14 po) de diamètre, épais de 3 mm (1/8 po) tout au plus. Foncer le moule avec une des abaisses, en veillant à ce qu'elle adhère bien au fond et aux côtés du moule.

7 Verser les pommes dans l'abaisse, en prenant soin de ne pas laisser le liquide de la garniture éclabousser le bord de la pâte.

8 Plier l'autre abaisse en quatre, et pratiquer deux évents à vapeur perpendiculaires à travers les couches de pâte. Badigeonner le bord de l'abaisse garnie d'un peu d'eau. Déployer l'abaisse sur les pommes. L'abaisse devrait déborder sur les pourtours de la tarte. Sceller la tarte en exerçant une pression sur la pâte aux bords du moule. Enlever l'excédent de pâte à l'aide d'un couteau bien tranchant.

9 Badigeonner la surface de la tarte de dorure à l'œuf et saupoudrer de sucre.

10 Cuire la tarte dans le four préchauffé pendant 10 minutes, puis réduire la température à 190 °C (375 °F). Cuire la tarte jusqu'à ce qu'elle soit dorée et que son contenu bouillonne, soit pendant encore 30 minutes environ.

11 Laisser refroidir sur une grille métallique avant de servir.

Donne une tarte de 25 cm (10 po) de diamètre, soit 8 portions.

Cette tarte aux pommes à abaisse simple est celle qu'on voit habituellement dans les boulangeries et pâtisseries françaises. Elle est assez simple à réaliser : il suffit de savoir trancher les pommes en tranches bien fines et de disposer celles-ci de façon esthétique.

Tarte aux pommes à la française

INGRÉDIENTS

1/2 portion de pâte brisée (p. 14) **1/2**
1 portion de compote de pommes (p. 41) **1**
4 grosses pommes Delicious, Cortland *ou* Granny Smith **4**
dorure à l'œuf (p. 18)
sucre granulé

MÉTHODE

Préchauffer le four à 180 °C (350 °F)

1   Préparer une croûte à tarte de style français en pâte brisée (p. 14).

2   Remplir la croûte à moitié de compote de pommes.

3   Peler et étrogner les pommes, et les trancher en deux à la verticale.

4   Placer les moitiés de pomme à plat sur une planche à découper. À l'aide d'un couteau très tranchant, partager les pommes en tranches fines.

5   Disposer les tranches de pomme en spirales décoratives à la surface de la compote de pommes.

6   Badigeonner les tranches de pomme d'une fine couche de dorure à l'œuf et saupoudrer généreusement de sucre.

7   Cuire au four jusqu'à ce que les pommes et la croûte soient dorées.

8   Laisser refroidir à température ambiante avant de partager.

Donne 1 tarte de 23 cm (9 po) de diamètre, soit de 8 à 10 portions.

Ce qui distingue la tarte Tatin de la tarte aux pommes au caramel, c'est qu'elle est cuite à l'envers. Ainsi, les jus des pommes suintent dans le beurre et le sucre à la base du moule, créant un caramel parfumé et aigrelet absorbé en partie par les fruits. La tarte Tatin idéale est dorée et luisante, et laisse s'écouler un peu de jus. Dans cette recette, nous avons prévu une étape de caramélisation du sucre, préalable à la cuisson, afin d'obtenir un caramel d'une couleur et d'une saveur plus riches.

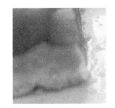

Tarte Tatin

INGRÉDIENTS

1/2 portion de pâte brisée (p. 14) **1/2**

10 à 12 pommes Golden Delicious, Cortland *ou* Granny Smith **10 à 12**

30 ml jus de citron **2 c. à table**

150 g de sucre granulé **3/4 tasse**

pincée de sel

55 g beurre froid non salé, coupé en morceaux **4 c. à table**

MÉTHODE

Préchauffer le four 190 °C (375 °F). Préparer un moule à gâteau de 23 cm (9 po) de diamètre et de 7,5 cm (3 po) de profondeur.

1   Abaisser la pâte sur une surface farinée à une épaisseur de 4 mm (1/8 po). Découper dans l'abaisse un disque de 25 cm (10 po), soit un peu plus que la base du moule à gâteau. Déposer la pâte sur une plaque à pâtisserie et réfrigérer le tout pendant la préparation des pommes.

2   Peler et étrogner les pommes puis les couper en quartiers. Dans un grand bol, remuer les quartiers de pommes dans le jus de citron pour les empêcher de s'oxyder.

3   Saupoudrer le fond d'un moule de la moitié du sucre et du sel et chauffer sur la cuisinière à feu moyen jusqu'à ce que le sucre prenne une couleur dorée uniforme. Éloigner immédiatement du feu et incorporer la moitié du beurre. Laisser refroidir jusqu'à ce que le caramel commence à épaissir.

4   Disposer les moitiés de pommes en cercles concentriques rapprochés. Saupoudrer du sucre restant et parsemer la surface des pommes de noix de beurre. Réserver.

5   Recouvrir les pommes de l'abaisse réfrigérée en enfonçant délicatement la pâte sur les pommes et en faisant rentrer l'excédent sur les bords.

6   Cuire au four pendant une heure ou jusqu'à ce que la pâte soit dorée et à point.

7   Laisser la tarte refroidir complètement avant de la démouler. Déposer une assiette de service à l'envers sur la tarte, puis retourner d'un geste rapide. Retirer le moule. Si quelques morceaux de pomme adhèrent encore au moule, les détacher et les remettre en place soigneusement sur la tarte.

Donne une tarte de 23 cm (9 po), soit de 8 à 10 portions.

Conseils pour le service : Si vous souhaitez servir la tarte chaude, ne la réchauffez qu'une fois refroidie et démoulée. Si on ne prend pas cette précaution, le contenu risque d'être trop fluide.

Ce glaçage à l'abricot, réchauffé, sert à badigeonner les tartes aux fruits.

Glaçage à l'abricot

INGRÉDIENTS

250 ml de confiture d'abricots **1 tasse**

30 ml d'eau **2 c. à table**

MÉTHODE

1 Mélanger la confiture d'abricots et l'eau dans une petite casserole. Chauffer à feu doux en fouettant de temps à autre, jusqu'à ce que la confiture ait fondu et que le mélange commence à bouillir. Laisser la préparation réduire du quart. Filtrer et garder au chaud.

Poires pochées

INGRÉDIENTS

1 l d'eau **4 tasses**

250 ml de sucre **1 1/4 tasse**

jus de 1 citron

4 grosses poires bien mûres, pelées (on laisse la tige en place) **4**

MÉTHODE

1 Verser l'eau dans une grande casserole et y dissoudre le sucre au fouet. Ajouter le jus de citron.

2 Plonger les poires pelées dans le liquide froid et porter à ébullition.

3 Réduire immédiatement le feu à doux. Déposer un disque de papier sulfurisé sur les fruits émergés. Poursuivre la cuisson des fruits jusqu'à ce qu'ils soient tendres sous la pointe du couteau, ce qui devrait prendre 15 minutes environ.

4 Retirer du feu et laisser refroidir les poires dans le sirop de pochage.

Idéalement, cette tarte se prépare avec des abricots frais ou des poires fraîches pochées.
Toutefois, à la rigueur, on peut prendre des fruits en conserve.

Tarte aux amandes et aux poires (ou aux abricots)

INGRÉDIENTS

1 fond de tarte de pâte sucrée de 23 cm (9 po) de diamètre (p. 14), non cuit **1**

1 portion de crème aux amandes (p. 36)

4 poires pochées (p. 56) **4 ou 750 ml** abricots en conserve **3 tasses**

1 portion de glaçage à l'abricot (p. 56) *ou* sucre glace tamisé pour décorer **1**

MÉTHODE

Préchauffer le four à 190 °C (375 °F).

1   Préparation du fond de tarte : Étendre la crème aux amandes dans la croûte à tarte non cuite.

2   Confection d'une tarte aux poires : Trancher les poires en deux dans le sens de la longueur. À la cuillère, retirer les pépins, les trognons et les tiges. Découper les moitiés de poire en fines tranches selon l'horizontale. Déposer les poires à la surface de la crème, en s'aidant d'un couteau.

3   Confection d'une tarte aux abricots : Disposer les abricots en cercles, en les plantant dans la crème.

4   Cuire la tarte au four jusqu'à ce que la crème aux amandes ait gonflé autour des fruits, qu'elle soit dorée et cuite à point, ce qui devrait prendre entre 30 et 40 minutes. Les fruits, surtout les abricots, commenceront à se dorer. Laisser refroidir sur une grille métallique. Décorer la tarte en appliquant sur les fruits refroidis une fine couche de glaçage à l'abricot ou en tamisant du sucre glace en périphérie, ou les deux. Servir à température ambiante.

Donne une tarte de 23 cm (9 po) de diamètre, soit de 8 à 10 portions.

Jardinière
Jardinière

INGRÉDIENTS

1 croûte à tarte de pâte sucrée, à la française, cuite à blanc (p. 14) **1** *ou* **1** croûte de pâte feuilletée, de la taille souhaitée, complètement cuite (p. 15) **1**

1 portion de crème légère (p. 33) **1**

fruits assortis : fraises, kiwis, ananas, melon, framboises, bleuets, etc.

glaçage à l'abricot (p. 56)

M É T H O D E

1   Remplir la croûte à tarte refroidie aux trois quarts de crème légère et étendre uniformément en une couche mince à l'aide d'une petite spatule ou du dos d'une cuillère.

2   Préparer les fruits en retirant toutes les parties non comestibles (pépins, peaux ou tiges). Disposer les fruits de façon décorative sur la crème, en évitant d'en souiller le dessus. Prendre soin de recouvrir toute la surface de fruits, en ne laissant aucune portion de la crème à nu.

3   À l'aide d'un pinceau à pâtisserie à poils doux, badigeonner les fruits d'une mince couche de glaçage à l'abricot. Ce glaçage ajoutera du goût à la tarte et assurera la fraîcheur de la crème. Garder la tarte au réfrigérateur jusqu'au moment de servir.

Tarte au citron

INGRÉDIENTS

1 fond de tarte de pâte sucrée à la française, cuite à blanc (p. 15) **1**

1 portion de crème de citron (p. 37) **1**

glaçage à l'abricot (p. 56) *ou* fruits pour la garniture

M É T H O D E

Préchauffer le four à 200 °C (400 °F).

1   Verser la crème de citron fraîchement faite dans le fond de tarte cuit et l'étendre uniformément à l'aide d'une petite spatule ou du dos d'une cuillère. Remettre au four pendant encore 10 minutes afin de laisser prendre la crème.

2   Laisser refroidir complètement sur une grille métallique. Réfrigérer pendant 4 heures avant d'appliquer le glaçage.

3   En se servant d'un pinceau à pâtisserie à poils mous, badigeonner la crème de citron d'une mince couche de glaçage à l'abricot chaud. Ce glaçage enrichit le goût de la tarte et garantit la fraîcheur de la garniture. On peut aussi décorer la tarte de fruits frais au moment de servir. Servir froid.

Donne une tarte de 23 cm (9 po) de diamètre, soit de 8 à 10 portions.

Cette tarte nord-américaine traditionnelle peut aussi se confectionner avec des noix de Grenoble. Elle est très riche et très sucrée, et doit donc se savourer à petites doses. La crème Chantilly légèrement fouettée ou la crème glacée l'accompagnent merveilleusement. Vous pouvez, en suivant la même recette, créer des tartelettes individuelles.

Tarte à l'érable et aux pacanes

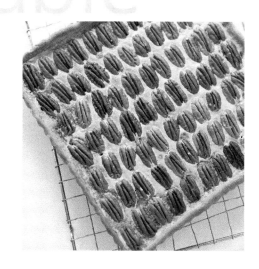

INGRÉDIENTS

1 fond de tarte de pâte sucrée cuit (p. 15) **1**

150 g de moitiés de pacanes *ou* de noix de Grenoble (facultatives) **1 1/2 tasse**

5 jaunes d'œufs **5**

1 œuf **1**

140 g de sirop d'érable **2/3 tasse**

180 g de cassonade bien tassée **1 tasse**

125 g de beurre **1/2 tasse**

125 ml de crème riche **1/2 tasse**

3 g de sel **1/4 c. à thé**

15 ml de vanille **1 c. à table**

MÉTHODE

Préchauffer le four à 190 °C (375 °F).

1   Si on en utilise, étaler les noix en une couche uniforme dans la croûte à tarte préparée.

2   Fouetter ensemble tous les ingrédients dans un bol métallique de taille moyenne. Placer le bol au-dessus d'une casserole d'eau frémissante pour créer un bain-marie. Bien remuer la préparation jusqu'à ce qu'elle ait épaissi à la nappe.

3   Passer le mélange et le récupérer dans la croûte à tarte cuite. Enfourner la tarte soigneusement.

4   Cuire la tarte au four pendant 20 minutes ou jusqu'à ce que la garniture se soit figée.

5   Laisser la tarte cuite refroidir sur une grille métallique, démouler et servir à température ambiante.

Donne 1 tarte de 23 cm (9 po), soit de 8 à 10 portions ou 6 tartelettes de 10 cm (4 po).

Cette tarte, riche et délicieuse, peut être cuite une journée à l'avance, mais ne doit être glacée que le jour du service.

Tarte au chocolat

Tarte au chocolat

INGRÉDIENTS

1 fond de tarte à la pâte sucrée à la française, cuite à blanc partiellement (p. 15)   1

Garniture au chocolat

90 g de chocolat mi-sucré   **3 oz**

330 ml de crème à fouetter (35 %)   **1 1/3 tasse**

125 ml de lait   **1/2 tasse**

100 g de sucre granulé   **1/2 tasse**

4 œufs   **4**

MÉTHODE

Préchauffer le four à 160 °C (325 °F).

1   Hacher le chocolat en petits morceaux et mettre dans un bol de taille moyenne.

2   Faire bouillir la crème et le lait avec la moitié du sucre dans une petite casserole.

3   Battre les œufs dans un grand bol avec le reste du sucre.

4   Verser le quart du mélange à base de crème bien chaud sur le chocolat haché et battre au fouet jusqu'à ce que la préparation soit onctueuse et luisante. Petit à petit, incorporer la crème restante dans le mélange à base de chocolat.

5   Verser la crème au chocolat sur les œufs battus. Passer le mélange, le recueillir dans un bol propre et le verser ensuite dans la croûte à tarte précuite. Procéder prudemment, car la garniture est très liquide.

6   Cuire au four jusqu'à ce que la garniture ait pris, soit pendant environ 20 minutes.

7   Laisser refroidir complètement avant d'appliquer le glaçage.

Donne une tarte de 23 cm (9 po) de diamètre, soit de 8 à 10 portions.

Ganache au chocolat

INGRÉDIENTS

180 g de chocolat mi-amer *ou* mi-sucré haché finement   **6 oz**

250 ml de crème à fouetter (35 %)   **1 tasse**

MÉTHODE

1   Hacher le chocolat au couteau en petits morceaux. Mettre dans un bol de taille moyenne.

2   Dans une petite casserole, porter la crème à ébullition. Verser la moitié de la crème sur le chocolat et remuer à l'aide d'une cuillère de bois ou d'une spatule de caoutchouc. Quand le mélange est onctueux, incorporer progressivement le reste de la crème, par petites quantités. Battre au fouet jusqu'à ce que le mélange soit onctueux et luisant.

3   Verser la ganache au centre de la tarte refroidie, et faire valser celle-ci dans le sens des aiguilles d'une montre pour que la ganache se répande jusqu'à la croûte et qu'elle recouvre complètement la garniture.

4   Laisser la ganache se figer à température ambiante.

Suggestion pour le service : Servir accompagné d'un peu de crème Chantilly, de crème anglaise ou de sauce caramel.

Les gâteaux classiques

Les gâteaux classiques

Conseils et techniques

Conseils et techniques

Assemblage et glaçage d'un gâteau

- N'imbibez jamais un gâteau de sirop chaud.

- Aplanissez toujours la surface d'un gâteau, s'il s'est gonflé en son centre à la cuisson.

- Prenez soin d'étendre la crème entre les étages en une couche d'épaisseur uniforme.

- Ne tranchez jamais un gâteau alors qu'il est congelé.

- Un gâteau cuit la veille est plus facile à trancher qu'un gâteau frais.

- Pour trancher un gâteau, servez-vous toujours d'un couteau dentelé.

- Pour faciliter le glaçage, préparez « trop » de crème plutôt que pas assez.

- Un plateau tournant facilite énormément l'opération de glaçage du gâteau.

- Pour démouler un gâteau cuit dans un cercle à entremets, vous pouvez vous aider d'un chalumeau, d'un séchoir à cheveux ou de serviettes chaudes. Il suffit de diriger la source de chaleur vers l'anneau de métal et de soulever celui-ci dès que le gâteau s'en est détaché.

- Pour les gâteaux cuits dans des cercles à entremets, tailler à l'aide de ciseaux le contour des tranches.

Glaçage d'un gâteau

Ce gâteau élégant est délicieux s'il est préparé avec soin. Les gâteaux fourrés à la crème au beurre font d'excellents gâteaux d'anniversaire.

Gâteau au moka

INGRÉDIENTS

250 ml de sirop simple (recette ci-dessous) **1 tasse**
125 ml de café soluble **1/2 tasse**
1 portion de crème au beurre (p. 34) **1**
1 génoise blanche de 20 cm (8 po) de diamètre (p. 23) **1**
200 g d'amandes effilées grillées, pour la décoration (facultatives) **2 tasses**

MÉTHODE

1   Préparation du sirop au café : Porter 60 ml (1/4 tasse) de sirop simple à ébullition et y incorporer le café soluble au fouet. Laisser refroidir. Aromatiser la crème au beurre avec une certaine quantité de sirop au café et verser le reste dans le sirop simple restant.

2   Partager la génoise en trois étages égaux selon l'horizontale. Poser la tranche inférieure sur un disque de carton de même diamètre. À l'aide d'un pinceau à pâtisserie à poils mous, badigeonner cette tranche de gâteau d'environ 60 ml (1/4 tasse) de sirop au café.

3   Tartiner une couche épaisse et uniforme de crème au beurre sur la tranche de gâteau imbibée. Poser là-dessus le deuxième étage de gâteau.

4   Reprendre ces manœuvres encore une fois, en imbibant l'étage supérieur du gâteau du reste de sirop avant de le mettre en place.

5   Glacer le gâteau avec la crème restante, en suivant les instructions données à la p. 65. Vous pouvez décorer les côtés du gâteau en y enfonçant des amandes grillées. À l'aide de la poche à douille, déposer une rosette décorative correspondant à chaque portion.

Donne un gâteau de 20 cm (8 po) de diamètre, soit de 8 à 10 portions.
Conseil pour le service : On devrait toujours servir les gâteaux à la crème au beurre à température ambiante.

Ce sirop est utilisé pour imbiber et arroser les gâteaux. Il doit être réfrigéré avant utilisation.

Sirop simple

INGRÉDIENTS

500 ml d'eau **2 tasses**
500 g de sucre granulé **2 1/2 tasse**

MÉTHODE

1   Verser l'eau dans une grande casserole et incorporer le sucre au fouet.

2   Porter à ébullition à feu vif. Éteindre le feu et laisser refroidir.

3   Filtrer le sirop et le récupérer dans un contenant propre. Garder au réfrigérateur jusqu'à utilisation.

Ce gâteau traditionnel allemand est idéal pour les débutants, car la crème fouettée se laisse tartiner facilement.

Gâteau de la Forêt-Noire

INGRÉDIENTS

250 ml de cerises de qualité en bocal, égouttées **1 tasse**
375 ml de sirop simple (p. 67) **1 1/2 tasse**
60 ml de kirsch **1/4 tasse**
1 génoise au chocolat de 20 cm (8 po) de diamètre (p. 23) **1**
1 double portion de crème Chantilly (p. 32) **1**
copeaux de chocolat
cerises fraîches avec leurs tiges, pour la décoration
sucre glace tamisé pour la décoration

MÉTHODE

1   Vingt-quatre heures avant l'assemblage du gâteau, mélanger les cerises, le sirop simple et le kirsch. Couvrir et placer au réfrigérateur.

2   Passer le liquide de conservation des cerises et le recueillir dans un petit bol. Mettre les cerises dans un autre petit bol.

3   Partager la génoise en trois étages égaux selon l'horizontale. Poser l'étage inférieur sur un disque de carton de même diamètre. À l'aide d'un pinceau à pâtisserie à poils mous, badigeonner cette tranche de gâteau d'environ 60 ml (1/4 tasse) de sirop au kirsch réservé.

4   Tartiner une couche épaisse et uniforme de crème Chantilly sur la tranche de gâteau imbibée de sirop.

5   Disperser 125 ml (1/2 tasse) de cerises sur la crème Chantilly, étendre une autre cuillerée de crème sur les cerises, puis poser là-dessus le deuxième étage du gâteau.

6   Reprendre ces manœuvres encore une fois, en imbibant l'étage supérieur du gâteau du reste de sirop avant de le mettre en place.

7   Glacer le gâteau avec la crème restante, en suivant les instructions données à la p. 65.

8   À l'aide de la poche à douille, déposer une bordure décorative autour du gâteau. Placer les copeaux de chocolat au centre du gâteau et garnir de quelques cerises fraîches.

Donne un gâteau de 20 cm (8 po), soit de 8 à 10 portions.

9   Juste avant de servir, saupoudrer le gâteau d'un peu de sucre glace.

Ce gâteau est un hybride d'un gâteau traditionnel français nommé en l'honneur de Saint Honoré, le patron des boulangers, et de la tarte aux fraises. Il est fait de pâte feuilletée, farcie de crème pâtissière et de fraises, garnies de crème Chantilly et entourées de choux farcis de crème pâtissière. Vous aurez besoin d'une douille à saint-honoré pour déposer la crème Chantilly en pics arrondis. On en trouve dans les boutiques spécialisées en équipement de pâtisserie. Cependant, une douille de tout autre profil est acceptable.

Saint-Honoré aux fraises

INGRÉDIENTS

225 g de pâte feuilletée (p. 16) **1/2 lb**
1 portion de pâte à chou (p. 19) **1**
1 portion de crème pâtissière (p. 32) **1**
1 portion de crème Chantilly (p. 32) **1**
500 ml de grosses fraises lavées et équeutées **2 tasses**
200 g de sucre granulé très propre **1 tasse**
50 ml d'eau **1/4 tasse**

MÉTHODE

Préchauffer le four à 200 °C (400 °F)

1 Abaisser la pâte feuilletée à un épaisseur de 1/2 cm (1/4 po). Placer l'abaisse sur une plaque à pâtisserie doublée de papier sulfurisé et la piquer à la fourchette. En se guidant sur un moule à gâteau de 23 cm (9 po) de diamètre, découper un disque de pâte qui servira de base au gâteau. Protéger lâchement d'une pellicule de plastique et réfrigérer.

2 Travail de la pâte à choux : À l'aide de la poche à douille, déposer la pâte autour du disque de pâte feuilletée, puis en spirale à partir du centre. Déposer le reste de la pâte en forme de « choux ».

3 Cuire la pâte au four chauffé à 200 °C (400 °F) pendant 10 minutes puis à 180 °C (350 °F) pendant encore 25 minutes ou jusqu'à qu'elle soit joliment dorée. Laisser refroidir avant de poursuivre l'exécution de la recette.

4 Battre la crème pâtissière au fouet jusqu'à ce qu'elle soit onctueuse. Ajouter une liqueur telle que le kirsch, au goût. Farcir les choux cuits de crème en s'aidant d'une poche armée d'une petite douille ronde.

5 Verser le reste de crème pâtissière au centre de la tarte cuite et étendre uniformément.

6 Placer une couche de petits fruits coupés en deux à la surface de la crème pâtissière.

7 Étendre une fine couche de crème Chantilly sur les fruits, puis, en s'aidant d'une poche munie d'une douille en forme d'étoile, recouvrir la crème pâtissière de rosettes de crème Chantilly.

8 Préparation du caramel : Dans une petite casserole, porter l'eau à ébullition avec le sucre. Quand le liquide prend couleur de caramel ou que le thermomètre à bonbons marque 180 °C (350 °F), retirer la casserole du feu et en plonger le fond dans un bol d'eau glacée.

9 Tremper le sommet des choux dans le caramel fondu en prenant soin de ne pas se brûler.

10 Disposer les choux glacés sur tout le pourtour du gâteau. Placer de grosses fraises, face coupée vers le bas, entre chaque chou. Décorer le centre du gâteau d'une fraise tranchée et servir sans attendre.

Donne un gâteau de 20 cm (8 po) soit de 6 à 8 portions.

Ce gâteau, facile à réaliser, plaira aux inconditionnels du chocolat. En soi, il est tellement humble que l'emploi d'un chocolat de bonne qualité s'impose. On peut le servir garni de crème Chantilly, de crème anglaise ou de coulis de fruits.

Gâteau aux trois chocolats et aux amandes

Gâteau aux trois chocolats et aux amandes

INGRÉDIENTS

1 gâteau aux amandes et au chocolat (p. 28) **1**

1 portion de glaçage à la ganache (p. 38) **1**

250 ml de sirop simple (p. 67) **1 tasse**

30 ml d'amaretto **2 c. à table** *ou* **5 ml** d'extrait d'amande **1 c. à thé**

glaçage au chocolat (recette ci-après)

25 g d'amandes effilées grillées **1/4 tasse**

MÉTHODE

1   Découper un disque de 23 cm (9 po) de carton du même diamètre que votre gâteau. S'assurer qu'il correspond parfaitement à la taille du gâteau et qu'il n'est pas visible aux pourtours.

2   Renverser le gâteau sur le carton. Partager le gâteau en deux étages et mettre l'étage supérieur de côté. Incorporer l'amaretto ou l'extrait d'amande dans le sirop et badigeonner l'étage inférieur du gâteau de ce sirop aromatisé.

3   Étaler une couche épaisse de glaçage à la ganache sur l'étage inférieur du gâteau aux amandes. Badigeonner l'étage supérieur du gâteau de sirop aromatisé et le déposer sur la ganache tartinée. Glacer le gâteau avec la ganache restante. S'efforcer de rendre les côtés du gâteau aussi droits que possible. Le dessus du gâteau doit être plat, et non bombé.

4   Laisser le gâteau glacé pendant au moins une heure au congélateur afin de laisser la ganache se figer. Préparer ensuite le glaçage au chocolat.

Donne un gâteau de 23 cm (9 po) de diamètre, soit de 8 à 10 portions.

Glaçage au chocolat

Étant donné qu'il s'agit d'un glaçage qui s'applique généreusement, les quantités de la recette suffisent amplement pour napper un gâteau.

INGRÉDIENTS

4 feuilles de gélatine **4**

125 ml de crème à fouetter (35 %) **1/2 tasse**

125 ml de sirop de maïs blanc **1/2 tasse**

75 ml d'eau **1/3 tasse**

50 g de sucre **1/4 tasse**

60 g de cacao en poudre **3/4 tasse**

MÉTHODE

1   Faire tremper les feuilles de gélatine dans une bonne quantité d'eau froide.

2   Dans une petite casserole, porter à crème, le sirop de maïs, l'eau et le sucre à ébullition. Incorporer le cacao au fouet et porter de nouveau à ébullition, en fouettant sans arrêt. Retirer du feu. Exprimer l'excédent d'eau des feuilles de gélatine et les incorporer au fouet dans la préparation.

3   Filtrer le glaçage chaud, le recueillir dans un petit bol et le garder au chaud jusqu'à utilisation.

4   Poser le gâteau congelé sur une grille métallique sous laquelle on placera une assiette pour recueillir l'excédent de glaçage.

5   Verser le glaçage au chocolat tiède (ni trop chaud ni trop froid) directement sur le gâteau. Tartiner le glaçage en donnant quelques coups de spatule, en prenant soin de glacer les côtés du gâteau. Étaler le glaçage en donnant quelques coups de spatule coudée, en prenant soin de glacer les côtés. S'efforcer de travailler aussi vite que possible.

6   Une fois le glaçage figé, soulever le gâteau précautionneusement de la grille métallique, enfoncer les amandes grillées sur le bord inférieur du gâteau et poser celui-ci sur un plat à gâteau pour le servir.

Ce gâteau élégant peut être fait dans un moule à charnière ou à l'aide d'un cercle à entremets d'acier inoxydable.

Fraisier

INGRÉDIENTS

1 génoise (p. 23) **1**

1 portion de crème mousseline (p. 35) **1**

45 ml kirsch 3 c. à table

500 ml de fraises fraîches équeutées 2 tasses

125 ml de sirop simple (p. 67) 1/2 tasse mélangé à
30 ml de kirsch 2 c. à table

100 g de massepain (pâte d'amandes blanche) 3 1/2 oz

2 gouttes de colorant alimentaire rouge 2

MÉTHODE

1   Tailler la génoise de manière à ce qu'elle soit plate sur ses deux faces. Partager le gâteau en trois étages égaux selon l'horizontale. Pour ce gâteau, on n'aura besoin que de deux étages; envelopper la troisième et la congeler en vue d'une consommation ultérieure.

2   Déposer le cercle à entremets sur une plaque à pâtisserie doublée de papier sulfurisé. Tailler les tranches de gâteau de manière à ce qu'elles s'adaptent parfaitement au moule. Poser la tranche inférieure au fond du moule puis, à l'aide d'un pinceau à pâtisserie à poils mous, badigeonner d'une fine couche de sirop simple aromatisé.

3   Déposer à la cuillère 125 ml (1/2 tasse) de crème mousseline sur l'étage inférieur du gâteau et l'étendre à la spatule coudée jusqu'aux parois du moule.

4   Placer une couronne de fraises entières contre la paroi du moule, puis remplir le centre de fraises couchées sur le côté.

5   Étendre le reste de la crème avec une spatule de manière à ce qu'elle remplisse tous les interstices.

6   Poser le second étage sur la crème, en pressant pour qu'elle s'ajuste bien. Badigeonner une fine couche de sirop simple et étendre le reste de la crème de manière à ce que l'anneau soit rempli à ras bord. Laisser la crème durcir au réfrigérateur, idéalement toute la nuit.

7   Finition du gâteau : En pétrissant, incorporer quelques gouttes de colorant alimentaire dans le massepain jusqu'à ce que la couleur soit d'un rose homogène. Former avec le massepain un disque mince. Saupoudrer une surface de travail propre de sucre glace et abaisser la pâte d'amandes en un disque de 3 mm (1/16 po) d'épaisseur.

8   Entourer l'anneau métallique de serviettes très chaudes et démouler le gâteau dans une assiette de service. Laver immédiatement l'anneau métallique.

9   En se guidant sur l'anneau, découper un disque de massepain de même diamètre que le gâteau. Déposer le disque délicatement sur le gâteau et le fixer en exerçant une légère pression. Décorer de quelques fraises fraîches.

Donne un gâteau de 23 cm (9 po) de diamètre, soit de 10 à 12 portions. Suggestion pour le service : Servir le fraisier accompagné d'un coulis de fruits rouge (voir p. 42).

Ce gâteau raffiné est une vraie bénédiction l'été, alors que les petits fruits sont à leur sommet. Pour donner une touche décorative au gâteau, nouez un ruban de satin autour, juste avant de servir.

Charlotte aux framboises et à la vanille

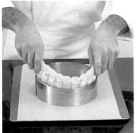

INGRÉDIENTS

1 portion de biscuits à la cuiller (doigts de dame) (p. 26) **1**

250 ml de sirop simple (p. 67) additionné de 45 ml (3 c. à table) de liqueur de framboise **1 tasse**

1 portion de crème bavaroise à la vanille (p. 44) **1**

250 ml de framboises fraîches *ou* surgelées **1 tasse**

1/2 portion de crème Chantilly (p. 32) **1/2**

600 ml de framboises fraîches pour la décoration **1 pinte**

sucre glace tamisé pour la décoration

MÉTHODE

1   Placer un cercle à entremets de 20 cm sur 10 cm (8 po sur 4 po) sur une plaque à pâtisserie doublée d'une feuille de papier sulfurisé. Tapisser les côtés du moule d'une rangée de biscuits à la cuiller, côté sucré tourné vers l'extérieur. Déposer au fond du cercle une des tranches de la génoise, en la taillant au besoin. À l'aide d'un pinceau à pâtisserie à poils mous, imbiber l'étage inférieur du gâteau de sirop à la framboise. Tailler une autre couche de gâteau de manière à ce qu'elle remplisse le moule à moitié et mettre de côté.

2   À ce stade-ci, la crème bavaroise doit être passablement épaisse. Si ce n'est pas le cas, la réfrigérer pendant quelques minutes.

3   Verser la moitié de la crème épaissie dans le moule préparé et y disperser la moitié des framboises. Déposer là-dessus le second étage du gâteau et badigeonner de sirop. Verser le reste de la crème bavaroise et y disperser le reste des framboises.

4   Recouvrir le gâteau d'une pellicule de plastique et réfrigérer pour laisser se figer, ce qui devrait pendre trois heures environ (on peut préparer le gâteau à l'avance jusqu'à cette étape; bien enveloppé, il se gardera un mois au congélateur).

5   Libérer le gâteau de la pellicule de plastique et du cercle à entremets puis mettre le gâteau dans une assiette de service.

6   Étendre la crème Chantilly sur le gâteau et y poser les framboises.

7   Saupoudrer les framboises de sucre glace, nouer un ruban autour du gâteau et servir.

Donne un gâteau de 20 cm (8 po) de diamètre, soit de 10 à 12 portions. Suggestion de service : Servir la charlotte accompagnée d'un coulis de fruits rouge (voir p. 42).

Ce gâteau, garni de copeaux de chocolat, est tout aussi spectaculaire saupoudré simplement d'un beau cacao en poudre, sombre et riche. Pour sa réalisation, vous aurez besoin d'un cercle à entremets d'acier inoxydable de 20 cm (8 po) de diamètre et de 6 cm (2 1/4 po) de hauteur.

Gâteau à la mousse au chocolat

INGRÉDIENTS

1 génoise au chocolat de 20 cm (8 po) de diamètre (p. 23) **1**

1 portion de mousse au chocolat (p. 45) **1**

125 ml de sirop simple (p. 67)
(on peut le parfumer à la vanille, au cognac, à la liqueur de framboise, au Grand Marnier, etc.) **1/2 tasse**

copeaux de chocolat *ou* cacao en poudre tamisé pour la décoration

MÉTHODE

1   Tailler le gâteau de manière à ce qu'il soit plat sur ses deux faces. Partager le gâteau en trois étages égaux selon l'horizontale.

2   Déposer le cercle à entremets sur une plaque à pâtisserie doublée de papier sulfurisé. Tailler les tranches de gâteau de manière à ce que la première soit de la même taille que le moule et que la deuxième ait un diamètre de 5 cm (2 po) inférieur. Placer l'étage inférieur au fond du moule et, à l'aide d'un pinceau à pâtisserie à poils mous, étendre une fine couche de sirop simple parfumé.

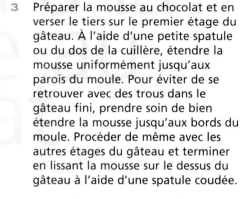

3   Préparer la mousse au chocolat et en verser le tiers sur le premier étage du gâteau. À l'aide d'une petite spatule ou du dos de la cuillère, étendre la mousse uniformément jusqu'aux parois du moule. Pour éviter de se retrouver avec des trous dans le gâteau fini, prendre soin de bien étendre la mousse jusqu'aux bords du moule. Procéder de même avec les autres étages du gâteau et terminer en lissant la mousse sur le dessus du gâteau à l'aide d'une spatule coudée.

4   Laisser le gâteau au congélateur toute la nuit ou pendant au moins six heures.

5   Saupoudrer le gâteau de cacao en poudre.

6   Démouler le gâteau en entourant le cercle à entremets de serviettes chaudes ou bien en le chauffant à l'aide d'un séchoir à cheveux ou d'un chalumeau.

7   Placer le gâteau dans une assiette de service décorative et servir en pointes.

Donne un gâteau de 20 cm (8 po) de diamètre, soit de 8 à 10 portions.
Suggestion pour le service : Le gâteau à la mousse au chocolat se sert bien accompagné de crème anglaise.

Le gâteau au fromage est un dessert plutôt riche; il est donc préférable de le savourer en après-midi, en guise de collation, plutôt qu'au terme d'un lourd repas. Celui présenté ici est mince, un peu comme une tarte. Pour obtenir un gâteau plus épais, il suffit de préparer le double de garniture. Amenez le fromage à la crème à température ambiante avant d'entreprendre l'exécution de la recette. Vous vous facilitez ainsi l'étape du glaçage.

Gâteau au fromage

INGRÉDIENTS

Croûte

100 g de biscuits graham émiettés **3/4 tasse**

pincée de sel

25 g de cassonade **2 c. à table**

45 ml de beurre non salé fondu **3 c. à table**

 MÉTHODE

Préchauffer le four à 200 °C (400 °F)

1   Dans un petit bol, réunir les biscuits graham émiettés, le sel et la cassonade. Ajouter le beurre fondu et mélanger jusqu'à ce que la préparation commence à coller. Foncer le fond d'un moule à charnière de 20 ou 23 cm (8 ou 9 po) de diamètre de cette pâte. Cuire au four préchauffé pendant 5 minutes ou jusqu'à ce que la croûte commence à prendre couleur. Réserver.

INGRÉDIENTS

Garniture

454 g de fromage à la crème à température ambiante **2 tasses** *ou* **1 lb**

125 ml de crème sure **1/2 tasse**

150 g de sucre granulé **2/3 tasse**

30 ml de jus de citron **2 c. à table**

5 ml de zeste de citron râpé **1 c. à thé**

3 œufs **3**

5 ml d'extrait de vanille **1 c. à thé**

MÉTHODE

1   En travaillant au malaxeur dans un grand bol, battre le fromage à la crème jusqu'à homogénéité et disparition des grumeaux. Incorporer la crème et la moitié du sucre et battre jusqu'à ce que le mélange soit onctueux et crémeux.

2   Dans un petit bol, battre les œufs au fouet avec le reste du sucre et la vanille. Incorporer petit à petit les œufs dans le mélange à base de fromage. Bien mélanger.

3   Verser la garniture dans la croûte du moule à charnière. Cuire au four pendant 5 minutes. Éteindre le four et laisser le gâteau cuire pendant 45 minutes ou jusqu'à ce que la garniture ait pris. Celle-ci devrait gonfler.

4   Si la garniture ne s'est pas figée au bout de 45 minutes, allumer le four à 180 °C (350 °F) et cuire pendant encore 10 minutes. Laisser refroidir sur une grille métallique pendant 20 minutes avant de poursuivre l'exécution de la recette.

INGRÉDIENTS

Finitions

250 ml de crème sure **1 tasse**

75 ml de crème à fouetter (35 %) **1/3 tasse**

45 ml de sucre **3 c. à table**

5 ml d'extrait de vanille **1 c. à thé**

fruits frais pour la décoration

MÉTHODE

Préchauffer le four à 180 °C (350 °F).

1   Battre ensemble au fouet la crème sure, la crème à 35 %, le sucre et la vanille. Verser sur le gâteau au fromage refroidi et étendre uniformément.

2   Cuire au four pendant 10 minutes pour faire se figer la crème. Laisser refroidir à température ambiante. Pour obtenir de meilleurs résultats, protéger le gâteau d'une pellicule de plastique et le laisser toute la nuit au réfrigérateur avant de démouler.

Donne un gâteau de 23 cm (9 po) de diamètre, soit de 8 à 10 portions. Pour servir : Décorez le gâteau de fruits frais si vous le désirez, et servez-le accompagné d'un coulis de fruits. Découpez le gâteau avec un couteau bien aiguisé que vous essuyez après chaque pointe.

Ce gâteau classique, en forme de roue de bicyclette, a été créé par un chef pâtissier français en honneur de la course cycliste Paris-Brest.

Paris-Brest

1 portion de pâte à chou (p. 19) **1**

dorure à l'œuf (p. 18)

20 g d'amandes effilées **1/4 tasse**

1 portion de crème mousseline pralinée (p. 35) **1**

125 g de pâte de praliné **1/2 tasse**

sucre glace pour la décoration

MÉTHODE

Préchauffer le four à 190 °C (375 °F). Doubler une grande plaque à pâtisserie de papier sulfurisé. Tracer un cercle de 20 cm (8 po) de diamètre sur le papier et le poser à l'envers sur la plaque à pâtisserie.

1   À l'aide d'une poche armée d'une douille de taille moyenne en forme d'étoile de 15 mm (2/3 po), dessiner un cercle à l'extérieur de la ligne tracée, un cercle à l'intérieur et un cercle sur les deux lignes. Badigeonner de dorure à l'œuf et saupoudrer d'amandes effilées.

2   Cuire au four pendant 20 minutes, réduire ensuite le feu à 180 °C (350 °F), puis cuire pendant encore 20 minutes ou jusqu'à ce que la couronne de pâte soit bien dorée et bien cuite.

3   Laisser refroidir complètement sur une grille métallique. Ensuite, passer à l'assemblage du gâteau. Si l'on veut interrompre l'exécution de la recette ici, on peut congeler la couronne, après l'avoir bien enveloppée. Elle se conserve un mois.

ASSEMBLAGE

1   Suivre les instructions pour la crème mousseline, en ajoutant la pâte de praliné petit à petit au moment d'incorporer le beurre au fouet.

2   À l'aide d'un couteau dentelé, partager la couronne de pâte à chou en deux selon l'horizontale. Poser la base dans une grande assiette. À l'aide d'une poche armée d'une douille en forme d'étoile, déposer la crème de façon décorative sur la base. Ne pas s'inquiéter si la décoration n'est pas parfaite, car elle sera masquée. Déposer la moitié supérieure de la couronne sur la crème.

3   Réfrigérer pendant au moins une demi-heure avant de servir. Au moment de servir, saupoudrer la surface du gâteau de sucre glace.

Donne un gâteau de 23 cm (9 po) de diamètre, soit de 8 à 10 portions.

Cette version modernisée de ce classique français de Noël comporte une mousse au mascarpone emprisonnée dans un gâteau éponge roulé au chocolat, imbibé de liqueur de framboise et garni de framboises fraîches. Les fruits frais, les champignons en meringue (voir p. 29), les branches de pin et le houx frais soulignent le temps des Fêtes.

Bûche de Noël au mascarpone et au chocolat

Mousse aux framboises et au mascarpone

175 ml de crème à fouetter (35 %) **3/4 tasse**

60 ml de liqueur de framboise **4 c. à table**

30 ml d'eau **2 c. à table**

7 g de gélatine sans saveur **2 1/4 c. à thé**

6 jaunes d'œufs **6**

90 g de sucre glace **3/4 tasse**

375 g de mascarpone à température ambiante **1 1/2 tasse**

250 ml de framboises fraîches *ou* surgelées **1 tasse**

1 gâteau roulé et au chocolat (p. 24) **1**

1 portion de sirop simple (p. 67) avec **25 ml** de liqueur de framboise **2 c. à table**

1 portion glaçage à la ganache au chocolat (p. 38) **1**

MÉTHODE

PRÉPARATION DE LA MOUSSE

1 Dans un petit bol, fouetter la crème jusqu'à la formation de pics durs. Réfrigérer.

2 Préparer une casserole d'eau frémissante. Verser la liqueur dans un grand bol d'acier inoxydable, y jeter la gélatine en pluie et mélanger au fouet. Laisser gonfler pendant cinq minutes.

3 Incorporer les jaunes d'œufs et le sucre glace. Placer le bol au-dessus de l'eau frémissante et battre sans arrêt jusqu'à ce que le mélange commence à épaissir, à pâlir et à doubler de volume. La sauce doit être assez chaude au toucher. Retirer du feu, battre au fouet de temps à autre et laisser refroidir à température ambiante.

4 Mettre le mascarpone dans un petit bol et faire ramollir en remuant. S'il ne se trouve pas encore à température ambiante, chauffer au bain-marie pendant quelques minutes.

5 Incorporer le quart du mélange à base de jaunes d'œufs battus dans le mascarpone. Bien mélanger en remuant.

6 En battant au fouet, incorporer petit à petit le mélange à base de mascarpone dans le reste du mélange à base de jaune d'œufs. Battre jusqu'à homogénéité. Incorporer la crème fouettée refroidie. À ce stade-ci, le mélange devrait être assez épais. Si ce n'est pas le cas, laisser quelques minutes au réfrigérateur.

ASSEMBLAGE DU GÂTEAU

7 Sortir une planche à découper ou une casserole dont le fond a la même taille que le gâteau roulé à la gelée. Recouvrir d'un linge propre. Renverser le gâteau tiédi sur le linge et détache délicatement le papier sulfurisé. Badigeonner de sirop. Tartiner la mousse sur le gâteau et parsemer de framboises fraîches.

8 Rouler le gâteau tiédi vers soi, en s'aidant du linge. Placer le gâteau roulé sur la planche, fermeture orientée vers le bas et laisser refroidir jusqu'à ce que la mousse se soit figée (pendant au moins six heures).

FINITION DU GÂTEAU

9 Dérouler le gâteau sur le linge. Couper les deux extrémités du gâteau en diagonale. Ces morceaux devraient mesurer 7,5 cm (3 po) environ. Étendre du glaçage sur les deux morceaux coupés, puis coller un morceau sur le dessus du gâteau et l'autre sur le côté, de manière à évoquer deux branches coupées. Tartiner une épaisse couche de glaçage sur tout le gâteau. En s'aidant d'une fourchette ou d'un peigne à décorer, pratiquer des sillons peu profonds le long de la bûche, pour imiter la texture de l'écorce. Déposer la bûche soigneusement dans une assiette de service.

10 Décorer de champignons en meringue, de fruits frais, de houx et de branches de pin. Juste avant de servir, saupoudrer de quelques cuillerées à table de sucre glace.

Donne 10 à 12 portions

Les petits fours

Les petits fours sont de petites pâtisseries françaises très raffinées, sucrées ou salées.

Tuiles aux amandes
Sablés aux cerises
Langues de chat
Madeleines
Pailles au fromage
Allumettes aux anchois
Gougères

Ces bouchées évoquent les tuiles des toits français.
On préfère les tuiles ultrafines, frais sorties du four.

Tuiles aux amandes

INGRÉDIENTS

125 g de sucre granulé **2/3 tasse**

125 g d'amandes effilées **1 1/2 tasse**

25 g de farine **3 c. à table**

pincée de sel

3 blancs d'œufs **3**

30 ml de beurre fondu **2 c. à table**

5 ml d'extrait de vanille **1 c. à thé**

MÉTHODE

Préchauffer le four à 190 °C (375 °F). Vaporiser sur plaque à pâtisserie un enduit végétal anticollant ou la doubler d'une feuille de caoutchouc Silpat®. On peut aussi se servir d'une plaque antiadhésive.

1 Réunir les ingrédients secs dans un bol de taille moyenne.

2 Incorporer les blancs d'œufs, le beurre fondu et la vanille. Bien mélanger.

3 Laisser tomber des cuillerées à thé de pâte sur les plaques à pâtisserie. Avec le dos d'une fourchette mouillée, étendre la pâte de manière à obtenir des disques fins.

4 Cuire au four jusqu'à ce que les bords des disques soient dorés. Retirer du four et laisser reposer quelques minutes. Soulever les tuiles prudemment à la spatule et les poser, dessus orienté vers le haut, contre un rouleau à pâte de manière à ce qu'elles refroidissent en prenant une forme incurvée.

Donne environ 25 tuiles de 7 cm (3 po) de diamètre.
Conservation : Dans une boîte fermée hermétiquement afin qu'elles demeurent croustillantes.

Voici classiques sablés français, populaires à l'heure du thé et à Noël. Vous pouvez les décorer de fruits séchés, comme les abricots, figues et dattes. Évitez les noix qui ont tendance à se détacher des biscuits après la cuisson.

Sablés aux cerises

INGRÉDIENTS

200 g de beurre non salé, à température ambiante **1 tasse**

115 g de sucre glace tamisé **1 tasse**

1 œuf **1**

1 jaune d'œuf **1**

10 ml d'extrait de vanille **2 c. à thé**

260 g de farine tout usage **1 3/4 tasse**

cerises rouges glacées pour la décoration

MÉTHODE

Préchauffer le four à 180 °C (350 °F). Vaporiser sur plaque à pâtisserie un enduit végétal anticollant ou la doubler de papier sulfurisé ou d'une feuille de caoutchouc Silpat®. On peut aussi se servir d'une plaque antiadhésive.

1   Dans un bol de taille moyenne, réduire le beurre et le sucre glace en crème légère et crémeuse.

2   Incorporer l'œuf et le jaune d'œuf, puis la vanille et enfin la farine. Mélanger en remuant. Éviter de trop mélanger sinon les biscuits seront durs.

3   À l'aide d'une poche munie d'une douille en forme d'étoile de 15 mm (2/3 po), déposer les tas de pâte sur les plaques à pâtisserie à environ 1 cm (1/2 po) les uns des autres en leur donnant la forme désirée. Décorer les biscuits d'une moitié de cerise, si on le désire.

4   Cuire les biscuits jusqu'à ce qu'ils commencent à dorer sur les bords, ce qui devrait prendre environ 10 minutes.

5   Laisser refroidir avant de servir.

Donne environ 70 sablés.
Conservation : Dans une boîte fermée hermétiquement afin qu'ils demeurent croustillants.

Ces biscuits oblongs rappellent par leur forme la langue du chat. Pour faire changement, offrez-vous une variation intéressante, des langues de lion. Il suffit pour cela de déposer davantage de pâte sur la plaque. Ces biscuits accompagnent merveilleusement bien la salade de fruits.

Langues de chat

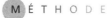

INGRÉDIENTS

75 g de beurre non salé, à température ambiante **1/3 tasse**

125 g de sucre glace tamisé **1 tasse et 2 c. à table**

3 jaunes d'œufs **3**

100 g de farine tout usage, tamisée **2/3 tasse**

5 ml d'extrait de vanille **1 c. à thé**

MÉTHODE

Préchauffer le four à 180 °C (350 °F). Vaporiser sur plaque à pâtisserie un enduit végétal anticollant ou la doubler de papier sulfurisé ou d'une feuille de caoutchouc Silpat®. On peut aussi se servir d'une plaque antiadhésive.

1. Dans un bol de taille moyenne, battre le beurre et le sucre à la cuillère de bois jusqu'à ce qu'ils soient légers et crémeux.

2. Incorporer les blancs d'œufs, un à la fois, en s'assurant que le mélange est homogène avant de procéder à l'ajout suivant.

3. Incorporer la farine et la vanille puis remuer jusqu'à homogénéité.

4. À l'aide d'une poche armée d'une petite douille ronde de 1 cm (1/3 po), déposer les tas de pâte à biscuits à 1 cm (1/2 po) les uns des autres diagonalement en bandes de 6 cm (2 1/2 po).

5. Cuire les langues de chat au four jusqu'à ce qu'elles commencent à dorer sur les bords, ce qui devrait prendre environ 5 minutes.

6. Laisser refroidir avant de servir.

Donne environ 50 biscuits.
Conservation : Dans une boîte fermée hermétiquement afin qu'ils demeurent croustillants.

Les madeleines, rendues célèbres par le romancier français Marcel Proust, sont souvent servies à l'heure du thé, car elles se laissent facilement plonger dans cette boisson. Les madeleines sont meilleures chaudes, au sortir du four, avant d'avoir perdu extérieur croustillant.

Madeleines

INGRÉDIENTS

2 œufs 2

70 g de sucre granulé 1/3 tasse

20 g de cassonade foncée 2 c. à table

pincée de sel

5 ml d'extrait de vanille 1 c. à thé

100 g de farine tout usage, tamisée 2/3 tasse

2,5 g de poudre à lever 1 c. à thé

100 g de beurre fondu puis tiédi 7 c. à table

MÉTHODE

1   Battre les œufs avec le sucre et le sel. Ajouter la vanille.

2   Incorporer à ce mélange la farine et la poudre à lever.

3   Incorporer délicatement le beurre fondu dans la préparation et remuer jusqu'à ce qu'elle soit onctueuse et luisante.

4   Couvrir et réfrigérer pendant environ 30 minutes ou jusqu'à ce que le mélange ait durci.

Préchauffer le four à 220 °C (425 °F). Vaporiser d'un enduit anticollant les moules à madeleines ou les beurrer et les fariner légèrement.

5   À l'aide d'une poche armée d'une douille ronde et fine, remplir les moules à madeleines aux trois quarts et cuire pendant 5 minutes dans le cas de petites madeleines et 10 minutes pour les plus grandes.

6   Laisser tiédir les madeleines jusqu'à ce qu'elles soient tout juste encore chaudes et servir sans attendre.

Donne 12 grandes madeleines ou 36 petites.

Ces petites pâtisseries sont idéales à l'heure de l'apéritif. Pour accentuer encore davantage le goût du fromage, vous pouvez rouler la pâte feuilletée dans du parmesan au lieu de la farine.

Pailles au fromage

Pailles au fromage

INGRÉDIENTS

125 g de pâte feuilletée en bloc (p. 16)   **1/4 lb**
125 ml de parmesan (facultatif)   **1/2 tasse**
250 ml de fromage râpé (gruyère, cheddar fort *ou* mélange des deux)   **1 tasse**
dorure à l'œuf (p. 18)

MÉTHODE

1   Saupoudrer une surface de travail propre de parmesan (on peut aussi prendre de la farine). Abaisser la pâte feuilletée en un grand rectangle de 20 cm sur 25 cm (8 po sur 10 po). Piquer la pâte à la fourchette sur toute sa surface. Badigeonner la pâte de dorure à l'œuf et saupoudrer de gruyère ou de cheddar.

2   En s'aidant d'une règle et d'un couteau bien aiguisé, partager la pâte dans le sens de la longueur en bandes de 2,5 cm (1 po) de largeur (on devrait en obtenir huit). Découper ensuite perpendiculairement en bouts de 5 cm (2 po) (on devrait en obtenir cinq). Déposer les bandes sur une plaque à pâtisserie doublée de papier sulfurisé puis mettre au congélateur.

Préchauffer le four à 200 °C (400 °F).

3   Mettre des pailles de fromage en nombre désiré sur une plaque à pâtisserie et faire dorer au four pendant environ 15 minutes.

4   Servir les pailles très chaudes.

Donne 40 pailles.

Ces délicieux petits fours ne manquent pas de caractère ! Pour cette recette,
il est conseillé d'utiliser des anchois conservés dans l'huile. Réservé aux ama-
teurs de poisson !

Allumettes aux anchois

INGRÉDIENTS

125 g de pâte feuilletée en bloc **1/4 lb**
12 filets d'anchois **12**
dorure à l'œuf (p. 18)

MÉTHODE

1   Abaisser la pâte feuilletée en un grand rectangle de 20 par 25 cm (8 par 10 po).
    Badigeonner légèrement de dorure à l'œuf. Étendre les anchois en rangées sur la moitié
    de la pâte. Rabattre la moitié de pâte non garnie sur les anchois pour emprisonner
    ceux-ci.

2   En s'aidant d'une règle et d'un couteau bien aiguisé, découper la pâte en lanières dans
    le sens de la longueur en passant entre les anchois. Puis découper perpendiculairement
    de manière à obtenir des carrés. Badigeonner de dorure à l'œuf. Déposer les carrés sur
    une plaque à pâtisserie doublée de papier sulfurisé puis mettre au congélateur.

Préchauffer le four à 200 °C (400 °F).

3   Mettre des allumettes aux anchois en nombre désiré sur une plaque à pâtisserie et faire
    dorer au four pendant environ 15 minutes.

4   Servir les allumettes bien chaudes.

Donne 40 carrés.

*Ces délicieuses bouchées au fromage, de tradition
française, peuvent se servir directement au sortir du four.
Les gougères sont à base de pâte à choux.*

Gougères

Gougères

INGRÉDIENTS

5 œufs 5

125 ml d'eau **1/2 tasse**

125 ml de lait **1/2 tasse**

100 g de beurre non salé **7 c. à table**

3 g de sel **1/2 c. à thé**

150 g de farine tout usage **1 tasse**

250 ml de gruyère **1 tasse**

2 g de poivre **1/4 c. à thé**

pincée de muscade

 **MÉTHODE**

*Préchauffer le four à 180 °C (350 °F). Vaporiser sur plaque à
pâtisserie un enduit végétal anticollant ou la doubler de
papier sulfurisé ou d'une feuille de caoutchouc Silpat®.
On peut aussi se servir d'une plaque antiadhésive.*

1 Casser les œufs dans une grande tasse à mesurer
et fouetter jusqu'à homogénéité.

2 Dans une casserole de taille moyenne, porter l'eau,
le lait, le beurre et le sel à ébullition, en agitant de
temps à autre.

3 Retirer du feu et ajouter la farine d'un seul coup.
Remuer à la cuillère de bois jusqu'à l'obtention
d'une pâte épaisse.

4 Chauffer de nouveau la casserole, à feu moyen, et
remuer énergiquement jusqu'à ce que la pâte commence à adhérer au fond et à se détacher des parois.

5 Mettre la pâte dans un bol de taille moyenne et
commencer à incorporer les œufs battus, à raison
d'environ 25 ml (2 c. à table) à la fois, en prenant
soin de bien amalgamer les ingrédients de la préparation avant de procéder à l'ajout suivant.

6 Vérifier la consistance de la pâte, qui devrait être
à la fois luisante, onctueuse et capable de garder
sa forme. Incorporer à la pâte les trois quarts du
fromage râpé, le poivre et la muscade.

7 Armer la poche d'une douille à profil rond de
taille moyenne. Remplir la poche de pâte et
déposer les choux sur le papier sulfurisé.

8 Saupoudrer les choux du fromage restant.

9 Cuire les gougères au four pendant 20 minutes
environ ou jusqu'à ce qu'elles soient dorées et
bien gonflées. Servir chaud

Donne environ 50 bouchées.
Conservation : Bien envelopper. Congélateur : 2 semaines.

Les pains à la levure

Les pains à la levure

Conseils et techniques

Pain de campagne

Pain aux olives

Pain multigrains

Tresses aux œufs

Pâte à pizza

Croissants

Danoises

Conseils et techniques

Conseils et techniques

Farine panifiable : Étant donné sa forte te-neur en gluten, la farine panifiable est essen-tielle dans les recettes qui suivent. Vous en trou-verez dans les épiceries d'aliments naturels et dans les boutiques spécialisées. Les pains fabri-qués à partir de farine tout usage ne lèvent pas parfaitement, et demeurent lourds.

Test de la levure et température de l'eau : Il faut accorder de l'importance à la températu-re de l'eau. Certaines levures exigent d'être dissoutes dans l'eau chaude. Par ailleurs, une eau trop chaude tuera la levure. Idéalement, l'eau doit être chaude au touch-er, comme l'eau du bain qu'on donne à un bébé. Quoi qu'il en soit, avant d'exécuter une recette, il faut s'as-surer que la levure est vivante (le liquide dans lequel elle est dissoute doit mousser). Certaines levures à action rapi-de peuvent être ajoutées directement à la farine. Lisez bien les instructions avant d'entreprendre une recette.

Température ambiante : On peut mettre le pain à lever dans une pièce froide, mais il mettra beaucoup plus de temps à le faire. Si la pièce est trop chaude, la pâte

lèvera trop rapidement, ce qui donnera un pain à saveur aigrelette. Un bon endroit pour faire lever la pâte est le dessus d'un four chaud. Prenez soin de bien envelop-per la pâte d'un linge épais pour la protéger des cou-rants d'air.

Pétrissage : N'hésitez pas à pétrir la pâte énergique-ment. Soulevez-la au-dessus de la tête et écrasez-la sur la surface de travail. Retournez la pâte, saisissez-la par les flancs et répétez le processus. Si vous travaillez à la main, le pétrissage de la pâte peut exiger dix minutes. Vous pouvez aussi utiliser un pétrin mécanique équipé d'un crochet pétrisseur. Prenez soin de ne pas trop pétrir la pâte. Avec le pétrin mécanique, vous pouvez vous per-mettre de réduire le temps de pétrissage de moitié. Ne préparez pas la pâte au robot culinaire, qui a tendance à déchirer la pâte.

Premier, deuxième et dernier levage : Les pâtes à pain doivent passer par des étapes de levage et de dé-gonflage au cours desquelles la levure perd son pouvoir. Ne calculez pas le temps de levage en vous fiant à votre montre, mais plutôt à l'apparence de la pâte. Les temps indiqués dans les recettes ne sont que des indications générales. Si, au bout d'une heure, la pâte n'a pas encore doublé de volume, prolongez le temps de levage quelque peu. Assurez-vous que la pâte demeure toujours

La boule

Le demi

protégée d'un linge, surtout lors du dernier levage. Si vous ne prenez pas cette précaution, la pâte se recouvrira d'une croûte et ne lèvera pas comme il se doit.

Entaillage de la pâte avant cuisson : Avant d'enfourner la pâte, il faut l'entailler afin qu'elle puisse se dilater sous l'effet de la chaleur. À cet effet, les boulangers utilisent souvent une lame de rasoir, mais un couteau dentelé bien tranchant peut tout aussi bien faire l'affaire. Faites des expériences en entaillant le pain en différents motifs et selon différents angles. Les entailles doivent avoir une profondeur maximale de 1 cm (1/2 po) et être pratiquées juste avant d'enfourner.

Formation d'une croûte : Pour obtenir une belle croûte, la cuisson au four doit s'opérer en présence de vapeur. Pour produire cette vapeur, vous pouvez placer un plat rempli d'eau sous le pain. Vous pouvez vaporiser de l'eau dans le four à l'aide d'un nébuliseur avant d'enfourner le pain et juste après le début de la cuisson. Avant d'enfourner, assurez-vous que le four a bien atteint la température souhaitée.

Le pain est-il cuit ? Le pain cuit à point doit être d'une belle couleur dorée. Pour une cuisson uniforme, retournez le pain à mi-chemin de la cuisson. Un pain cuit à point doit rendre un son creux quand on en frappe la base.

Les formes du pain

La boule : Après le deuxième levage, vous pouvez dégonfler le pain et le couper en deux. Enfoncez toutes les arêtes de la pâte sous son centre de manière à obtenir une boule. Roulez la boule sur une surface propre, en en scellant la base. Le dessus et les flancs de la boule doivent être très lisses.

Le demi : Aplatissez la pâte en un rectangle, court et plat. Roulez un tiers de la pâte vers vous-même et scellez le pli. Roulez le deuxième tiers vers vous et scellez de la même façon. Appuyez sur la pâte avec les mains et roulez-la en un pain plus long. Arrondissez les coins au rouleau.

Le meilleur pain de campagne est celui préparé à partir de levain, qui lui communique un goût aigrelet et forme une croûte croustillante. Malheureusement, ce pain exige au moins deux jours de préparation. Celui proposé ici, qui s'exécute en une journée, se fabrique avec de la farine de seigle. Le pain de seigle n'est pas aussi délicieux que le pain au levain, mais il possède une saveur plus rustique que le pain blanc ordinaire.

Pain de campagne

INGRÉDIENTS

6 g de levure sèche **2 c. à thé**

310 ml d'eau chaude **1 1/4 tasse)**

3 g de sucre **1 c. à thé**

375 g de farine panifiable **2 1/2 tasses**

75 g de farine de seigle **1/2 tasse**

15 g de sel **2 c. à thé**

MÉTHODE

1   Faire tomber la levure en pluie dans l'eau chaude. Y dissoudre le sucre. Quand le liquide commence à devenir mousseux, incorporer la farine panifiable, la farine de seigle et le sel.

2   Pétrir la pâte sur une surface légèrement farinée pendant dix bonnes minutes ou jusqu'à ce qu'elle soit souple et élastique.

3   Placer la boule de pâte dans un grand bol huilé. Protéger d'un linge propre ou d'une pellicule de plastique et laisser lever dans un endroit chaud pendant une heure. Aplatir la pâte, envelopper de nouveau et laisser doubler de volume, ce qui devrait prendre encore au moins une heure.

Préchauffer le four à 225 °C (450 °F). Placer un plat peu profond dans la partie inférieure du four et garder un nébuliseur d'eau à portée de la main.

4   Placer la pâte sur une surface farinée et la diviser en deux propres. Recouvrir d'un linge propre et laisser lever sur la surface de travail pendant 10 minutes.

5   Rouler la pâte de manière à lui donner une forme sphérique.

6   Placer la boule sur une plaque à pâtisserie doublée de papier sulfurisé, recouvrir et laisser lever dans un endroit chaud jusqu'à ce que la pâte ait doublé de volume, soit pendant 30 à 45 minutes. La pâte prête à être enfournée ne devrait pas rebondir sous la pression de la main.

7   Fariner la surface du pain. Avec un couteau très tranchant, pratiquer deux entailles diagonales profondes de 1 cm (1/2 po) en forme croisée à la surface de la boule.

8   Enfourner la miche sans perdre de temps et verser 250 ml (1 tasse) d'eau chaude dans le plat placé dans la partie inférieure du four afin de produire de la vapeur.

9   Refermer la porte du four, attendre 5 minutes, puis rouvrir la porte. À l'aide d'un nébuliseur, vaporiser de l'eau dans le four pendant 30 secondes. Éviter de toucher l'ampoule du four, car elle risquerait d'éclater.

10   Cuire le pain pendant 15 à 20 minutes ou jusqu'à ce qu'il soit bien doré.

11   Laisser refroidir sur une grille métallique. Ne pas trancher le pain avant qu'il n'ait complètement refroidi.

Donne 1 gros pain rond.

Pain aux olives (variante)

1   Procéder comme avec le pain de campagne (p. 100) puis ajouter à la pâte, avant de pétrir, 15 ml (1 c. à table) de romarin ou de thym frais haché finement ainsi que 30 ml (2 c. à table) d'huile d'olive.

2   Tout en pétrissant, incorporer 125 ml (1/2 tasse) d'o-lives noires (environ douze) hachées dans la pâte avant le premier levage.

3   On peut former à partir de la pâte une boule ou deux.

4   Avant d'enfourner, pratiquer dans la pâte une entaille profonde de 1 cm (1/2 po) à l'aide d'un couteau à pain dentelé (voir pain de campagne, page 100).

Pain multigrains

310 ml d'eau chaude **1 1/4 tasse**

3 g de levure sèche **1 c. à thé**

15 ml de miel **1 c. à table**

340 g de farine panifiable **1 1/4 tasse**

50 g de farine de blé entier **1/3 tasse**

50 g de farine de seigle **1/4 tasse**

10 g de son **2 c. à table**

12 g de sel **2 c. à thé**

185 ml de graines de sésame, de lin et de tournesol mélangées **3/4 tasse**

1 œuf légèrement battu **1**

MÉTHODE

1 Laisser tomber la levure en neige dans le lait chaud. Incorporer le miel. Quand le liquide commence à devenir mousseux, incorporer les ingrédients restants et la majeure partie des graines mélangées (on en réserve 3 c. à table).

2 Pétrir la pâte sur une surface légèrement farinée pendant 10 bonnes minutes ou jusqu'à ce qu'elle soit souple et élastique.

3 Placer la boule dans un grand bol huilé. Protéger d'un linge propre ou d'une pellicule de plastique et laisser lever dans un endroit chaud pendant une heure. Aplatir la pâte, remettre en place le linge ou la pellicule, puis laisser doubler de volume pendant au moins une heure.

Préchauffer le four à 200 °C (400 °F). Placer un plat peu profond dans la partie inférieure du four.

4 Placer la pâte sur une surface de travail légèrement farinée et suivre les instructions données à la p, 99 pour former un pain « demi » de 30 cm (12 po).

5 Laisser lever la pâte dans un endroit chaud jusqu'à ce qu'elle ait doublé de volume, soit pendant environ 45 minutes. La pâte prête à être enfournée ne devrait pas rebondir sous la pression de la main.

6 Badigeonner la surface du pain avec l'œuf battu et le garnir des graines assorties réservées. À l'aide d'un couteau dentelé bien coupant, pratiquer deux longues entailles se croisant à angle et profondes de 1 cm (1/2 po).

7 Placer la pâte dans un moule à pain légèrement graissé et enfourner sans perdre de temps. Verser 250 ml (1 tasse) d'eau chaude dans le plat placé dans la partie inférieure du four afin de produire de la vapeur.

8 Refermer la porte du four, attendre 5 minutes, puis rouvrir la porte. À l'aide d'un nébuliseur, vaporiser de l'eau dans le four pendant 30 secondes. Éviter de toucher l'ampoule du four, car elle risquerait d'éclater.

9 Cuire le pain pendant 20 à 25 minutes ou jusqu'à ce qu'il soit bien doré.

10 Laisser le pain cuit refroidir sur une grille métallique. Ne pas trancher le pain avant qu'il n'ait complètement refroidi.

Donne un gros pain.

Tresses
aux œufs

250 ml de lait chaud **1 tasse**

6 g de levure **2 c. à thé**

25 g de sucre **2 c. à table**

9 g de sel **1 1/2 c. à thé**

15 ml de miel **1 c. à table**

2 jaunes d'œufs **2**

1 œuf **1**

30 ml de beurre fondu **2 c. à table**

450 g de farine panifiable **3 tasses**

dorure à l'œuf (p. 18)

M É T H O D E

1 Faire tomber la levure sèche en neige dans le lait chaud. Y dissoudre le sucre. Quand le liquide commence à devenir mousseux, incorporer le malt, les jaunes d'œufs, la farine et le sel.

2 Pétrir la pâte sur une surface légèrement farinée pendant 10 bonnes minutes ou jusqu'à ce qu'elle soit souple et élastique.

3 Placer la boule de pâte dans un grand bol huilé. Protéger d'un linge propre ou d'une pellicule de plastique et laisser lever dans un endroit chaud pendant une heure. Aplatir la pâte, remettre le linge ou la pellicule de plastique en place, puis laisser la pâte lever de nouveau jusqu'à ce qu'elle ait doublé de volume, soit donc pendant encore au moins une heure.

Préchauffer le four à 200 °C (400 °F).

4 Placer la pâte sur une surface farinée et la diviser en quatre morceaux égaux. Rouler les morceaux en boules. Protéger d'un linge propre et laisser lever sur la table de travail pendant 10 minutes.

5 Aplatir chaque balle du poing et rouler en un cylindre long d'environ 75 cm (30 po). Procéder de même avec les trois autres boules. Protéger les morceaux déjà roulés d'un linge pendant le travail des autres.

6 Prendre deux cylindres, les faire se croiser à angle droit et exécuter une tresse comme le montre l'illustration. Procéder de même pour la seconde tresse.

7 Déposer les deux tresses sur une plaque à pâtisserie doublée de papier sulfurisé, couvrir et laisser lever dans un endroit chaud jusqu'à ce que la pâte ait doublé de volume, ce qui devrait prendre de 30 à 45 minutes. La pâte prête à être enfournée ne devrait pas rebondir sous la pression de la main.

8 Badigeonner la surface et les côtés des tresses de dorure à l'œuf.

9 Cuire les tresses au four pendant environ 30 minutes ou jusqu'à ce qu'elles soient bien dorées.

10 Laisser refroidir sur une grille métallique. Ne pas trancher le pain avant qu'il n'ait complètement refroidi.

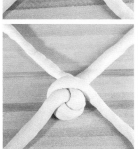

Donne deux tresses.

Pâte à pizza

Cette recette donne une croûte croustillante, épaisse ou fine. La garniture est laissée à votre discrétion.

INGRÉDIENTS

12 g de levure sèche **4 c. à thé**

375 ml d'eau chaude **1 1/2 tasse**

7 g de sucre **1 c. à thé**

525 g de farine tout usage **3 1/2 tasses**

75 g de farine de seigle **1/2 tasse**

50 ml d'huile d'olive **1/4 tasse**

12 g de sel **2 c. à thé**

MÉTHODE

1 Vérifier si la levure est vivante en la dissolvant dans de l'eau sucrée dans un grand bol.

2 Si le liquide devient mousseux, lui incorporer la farine, l'huile d'olive et finalement le sel. Bien mélanger. La pâte devrait être un peu collante.

3 Pétrir la pâte sur une surface farinée pendant environ 7 minutes ou jusqu'à ce qu'elle soit souple et élastique.

4 Placer la boule de pâte dans un grand bol huilé. Protéger d'un linge propre ou d'une pellicule de plastique et laisser lever dans un endroit chaud pendant une heure. Aplatir la pâte, remettre le linge ou la pellicule de plastique en place, puis laisser la pâte doubler de volume.

5 Diviser alors la pâte en trois portions. On peut soit utiliser la pâte immédiatement ou bien la conserver au réfrigérateur ou au congélateur en vue d'une consommation ultérieure. Elle se garde environ trois jours au réfrigérateur ou un mois au congélateur. S'assurer que la pâte est bien enveloppée en tout temps. La pâte congelée doit être décongelée au réfrigérateur.

CONFECTION D'UNE PIZZA

Préchauffer le four à 250 °C (500 °F). L'idéal est de se servir d'une pierre ou tuile à pizza, mais on obtient de bons résultats également avec le moule à pizza ou la plaque à pâtisserie.

1 En travaillant avec une seule portion de pâte à la fois, former un grand disque rond. Le déposer sur une surface bien farinée puis, en travaillant du bout des doigts, étirer la pâte pour agrandir le disque. Poursuivre de même jusqu'à ce que la pâte ait 4 mm (1/8 po) d'épaisseur. Si cette façon de travailler ne réussit pas, utiliser le rouleau à pâte.

2 Garnir la pizza des ingrédients voulus et cuire pendant 6 à 8 minutes ou jusqu'à ce que les garnitures soient dorées et que la croûte soit croustillante.

Donne trois croûtes à pizza de 23 cm (9 po) de diamètre.

Ces croissants sont légers et riches, nettement meilleurs que ceux achetés dans le commerce. Vous trouverez peut-être difficile de confectionner vos propres croissants, à cause de la planification qu'exige l'opération. À moins d'être disposé à vous lever à quatre heures du matin, vous devrez mettre la main à la pâte la veille au soir, si vous souhaitez voir des croissants sur la table au petit déjeuner. Dès que vous maîtriserez la pâte feuilletée, vous pourrez confectionner des croissants en un tournemain, car leur pâte n'exige que quatre tours au lieu de six.

Croissants

MÉTHODE

1   Faire tomber la levure sèche en neige dans le lait chaud. Incorporer le sucre. Quand le liquide commence à devenir mousseux, incorporer le sel et la farine.

2   Pétrir la pâte sur une surface légèrement farinée jusqu'à ce qu'elle soit souple, élastique et humide (pendant environ 5 minutes).

3   Placer la boule de pâte dans un grand bol légèrement beurré. Protéger d'un linge propre ou d'une pellicule de plastique et laisser la pâte lever dans un endroit chaud jusqu'à ce qu'elle ait doublé de volume, soit pendant environ une heure. Dégonfler la pâte délicatement en l'aplatissant, remettre le linge ou la pellicule de plastique en place, puis laisser au réfrigérateur pendant toute la nuit.

INGRÉDIENTS

250 ml de lait chaud   **1 tasse**

9 g de levure sèche   **2 c. à thé**

25 g de sucre   **2 c. à table**

7 g de sel   **1 c. à thé**

175 g de farine panifiable
1 tasse et 3 c. à table

150 g de farine tout
usage **1 tasse**

150 g de beurre non
salé, à température
ambiante **2/3 tasse**

dorure à l'œuf (p. 18)

4   Abaisser la pâte sur une surface légèrement farinée en un rectangle d'environ 38 cm sur 23 cm (15 po sur 9 po). Étendre le beurre sur les deux tiers de la pâte. Plier le rectangle en trois, en prenant soin de replier le tiers non beurré vers l'intérieur en premier (voir l'illustration).

5   Placer la pâte beurrée sur une plaque à pâtisserie farinée, envelopper et réfrigérer jusqu'à ce que le beurre ait durci, soit pendant environ 30 minutes.

6   Sur une surface légèrement farinée, abaisser la pâte en un rectangle un peu plus grand et exécuter un « tour » comme s'il s'agissait de pâte feuilletée. Répéter la manœuvre et réfrigérer pendant une heure.

7   Exécuter encore deux tours, toujours en abaissant la pâte en un rectangle de la même taille. En tout et pour tout, on devrait exécuter quatre tours. Réfrigérer encore une fois pendant une heure.

Préchauffer le four à 190 °C (375 °F).

8   Abaisser la pâte encore une fois en un rectangle, plus long cette fois-ci, soit 60 cm sur 20 cm (24 po sur 8 po), épais de 3 mm (1/8 po).

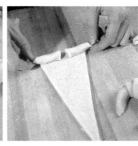

*Donne environ
12 croissants.*

9   À l'aide d'un couteau tranchant ou d'un coupe-pizza, partager la pâte en diagonale en douze longs triangles de 10 cm (4 po) chacun.

10 Pratiquer une fente de 2,5 cm (1 po) sur le côté long de chaque triangle, distendre la base et rouler les croissants.

11 Placer les croissants sur une plaque à pâtisserie doublée de papier sulfurisé ou graissée et farinée, à au moins 5 cm (2 po) les uns des autres. Protéger les croissants d'une pellicule de plastique lâche afin qu'ils ne sèchent pas en surface et laisser lever dans un endroit chaud jusqu'à ce qu'ils aient doublé de volume, soit pendant environ 1 heure et 15 minutes.

12 Badigeonner les croissants de dorure à l'œuf et cuire au four jusqu'à ce qu'ils soient dorés, ce qui devrait prendre environ 20 minutes. Faire pivoter la plaque à mi-chemin de la cuisson afin d'obtenir une coloration uniforme.

13 Laisser refroidir sur une grille métallique.

Ces pâtisseries sont irrésistibles. Elles se laissent facilement congeler puis décongeler au réfrigérateur au besoin. On peut garnir les danoises de n'importe quelle confiture. Une cuillerée de crème pâtissière (voir p. 32) est une excellente option aussi.

Danoises

INGRÉDIENTS

125 ml de lait **1/2 tasse**

50 g de sucre **1/4 tasse**

55 g de beurre non salé **1/4 tasse**

15 g de levure sèche **1 c. à table**

7 g de sel **1 c. à thé**

2 œufs **2**

500 ml de farine tout usage **2 tasses**

150 g de beurre non salé **2/3 tasse**

dorure à l'œuf (p. 18)

6 g de cannelle **1 c. à table**

35 g de sucre **3 c. à table**

confiture de framboises *ou* d'abricots

250 ml de sirop simple (p. 67) **1 tasse**

15 ml de lait **1 c. à table**

60 g de sucre glace **1/2 tasse**

MÉTHODE

1 Battre au fouet le lait, le sucre et 50 g (1/4 tasse) de beurre dans une petite casserole. Chauffer jusqu'à ce que le mélange soit chaud au toucher. Verser dans un bol et jeter la levure en pluie sur le liquide. Quand le mélange commence à bouillonner, incorporer le sel, les oeufs et la farine en remuant.

2 Pétrir la pâte sur une surface légèrement farinée jusqu'à ce que les ingrédients commencent à s'amalgamer, pendant 30 secondes tout au plus.

3 Placer la boule de pâte dans un grand bol légèrement beurré. Protéger d'un linge propre ou d'une pellicule de plastique et laisser la pâte lever dans un endroit chaud jusqu'à ce qu'elle ait doublé de volume, soit pendant environ 45 minutes. Dégonfler la pâte en l'aplatissant délicatement, remettre le linge ou la pellicule de plastique en place puis laisser toute la nuit au réfrigérateur.

4 Sur une surface légèrement farinée, abaisser la pâte en un rectangle de 38 cm sur 23 cm (15 sur 9 po). Étendre le beurre sur deux tiers de la pâte. Plier le rectangle en trois, en prenant soin de replier le côté non beurré en premier (voir l'illustration).

5 Placer la pâte beurrée sur une plaque à pâtisserie farinée, protéger d'une pellicule de plastique et réfrigérer jusqu'à ce que le beurre ait durci, soit pendant environ 30 minutes.

6 Sur une surface légèrement farinée, abaisser la pâte en un rectangle un peu plus grand et exécuter un tour comme s'il s'agissait de pâte feuilletée. Répéter la manœuvre et réfrigérer une heure.

7 Exécuter encore deux tours, toujours en abaissant la pâte en un rectangle de la même taille. En tout et pour tout, on devrait exécuter quatre tours. Réfrigérer encore une fois pendant une heure.

Préchauffer le four à 180 °C (350 °F).

8 Abaisser la pâte encore une fois en un rectangle, mais cette fois un peu plus long et plus large, soit 65 cm sur 30 cm (26 po sur 12 po), épais d'environ 3 mm (1/8 po).

9 Badigeonner toute la surface de la pâte d'une fine couche de dorure à l'œuf. Mélanger la cannelle et le sucre et en saupoudrer la moitié inférieure de la pâte (dans le sens de la longueur). Plier la pâte en deux, dans le sens de la longueur. Donner un léger coup de rouleau à la pâte pour sceller la fermeture. Partager la pâte en bandes de 3 cm (1 1/4 po).

10 Tordre les bandes en directions opposées et rouler de manière à obtenir des cordes uniformes. Croiser les deux extrémités deux fois et coller par pression les deux extrémités du côté opposé de la pâte pour former des disques. Les retourner et les mettre sur une plaque à pâtisserie doublée de papier sulfurisé ou graissée et farinée, à au moins 5 cm (2 po) les uns des autres. Recouvrir les disques d'une pellicule de plastique lâche afin de les empêcher de sécher en surface et laisser lever dans un endroit chaud jusqu'à ce qu'ils aient doublé de volume.

11 Badigeonner de dorure à l'œuf et déposer un peu de confiture au centre.

12 Cuire les danoises au four jusqu'à ce qu'elles soient dorées, soit pendant environ 20 à 30 minutes.

13 Porter le sirop à ébullition dans une petite casserole et en badigeonner les danoises dès qu'elles sortent du four.

14 Laisser refroidir sur une grille métallique. Préparer un glaçage en

mélangeant le lait et le sucre glace. À la cuillère, laisser tomber des filets de glaçage sur les danoises.

Donne environ 14 pâtisseries danoises.

Les pains rapides

Cette recette de pain à la banane diffère de la plupart des autres en ceci qu'elle comporte de l'huile d'olive. Ne craignez rien, car cette huile, à la saveur fruitée, se marie très bien au parfum de la banane.

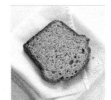

Pain à la banane

INGRÉDIENTS

265 g de farine tout usage **1 3/4 tasse**

10 g de poudre à lever à double effet **2 c. à thé**

1 g de bicarbonate de soude **1/4 c. à thé**

2 g de sel **1/2 c. à thé**

2 œufs **2**

135 g de sucre granulé **2/3 tasse**

75 ml d'huile d'olive vierge extra **1/3 tasse**

250 ml de bananes écrasées, soit deux ou trois **1 tasse**

MÉTHODE

Préchauffer le four à 180 °C (350 °F). Badigeonner l'intérieur d'un moule à pain de 12,5 cm sur 23 cm (5 po sur 9 po) de beurre fondu et saupoudrer d'un nuage de farine. On peut aussi vaporiser un enduit anticollant.

1 Tamiser ensemble la farine, la poudre à lever, le bicarbonate de soude et le sel sur une feuille de papier sulfurisé.

2 En travaillant au malaxeur dans un grand bol, battre les œufs et le sucre à grande vitesse jusqu'à ce que le mélange ait doublé de volume. Incorporer l'huile d'olive.

3 En remuant, incorporer les ingrédients secs tamisés et la purée de banane en alternance.

4 Verser la pâte dans le moule préparé et enfourner dans le four préchauffé.

5 Laisser cuire pendant 55 à 60 minutes. Laisser refroidir sur une grille métallique pendant 10 minutes, démouler, puis laisser refroidir complètement avant de partager.

Donne un pain de 12,5 cm sur 23 cm (5 po sur 9 po).

Ce gâteau parfumé rappelle le pain d'épices. Pour obtenir un gâteau encore plus moelleux, vous pouvez ajouter 100 g (_ tasse) de raisins secs en même temps que les pacanes. Le glaçage est facultatif.

Gâteau à la citrouille et aux pacanes

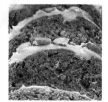

INGRÉDIENTS

75 g de moitiés de pacanes **3/4 tasse**

225 g de farine tout usage **1 1/2 tasse**

6 g de sel **1 c. à thé**

5 g de bicarbonate de soude **1 c. à thé**

5 g de poudre à lever **1 c. à thé**

4 g de cannelle **1 c. à thé**

4 g de gingembre moulu **1 c. à thé**

1 g de clou de girofle moulu **1/4 c. à thé**

1 g de macis **1/4 c. à thé**

1 bâton de beurre non salé de 100 g (3,5 oz) **1**

200 g de cassonade brune, bien tassée **1 tasse**

2 œufs **2**

250 ml de purée de citrouille **1 tasse**

MÉTHODE

Préchauffer le four à 180 °C (350 °F). Beurrer et fariner un moule à pain de 23 cm sur 12,5 cm (9 po sur 5 po).

1 Faire griller les pacanes dans le four préchauffé pendant 7 minutes. Laisser refroidir et hacher grossièrement.

2 Tamiser ensemble la farine, le sel, la poudre à lever, le bicarbonate et les épices.

3 En travaillant au malaxeur dans un grand bol, réduire le beurre et la cassonade en crème légère et crémeuse. Incorporer les œufs, un à la fois. Incorporer en alternance les ingrédients secs et la purée de citrouille. Incorporer délicatement les pacanes. Éviter de trop travailler la pâte, car le gâteau serait alors dur.

4 Déposer le mélange dans le moule préparé. Cuire au four pendant 30 minutes dans le cas de petits gâteaux ou de muffins et pendant 50 minutes pour les gros gâteaux. Laisser refroidir complètement avant de glacer.

Glaçage

INGRÉDIENTS

1 bâton de beurre non salé, soit 100 g (3,5 oz) **1**

125 g de fromage à la crème **4 oz**

2 ml d'essence d'érable *ou* d'extrait de vanille **1/2 c. à thé**

115 g de sucre glace tamisé **1 tasse**

30 g de pacanes hachées grossièrement **1/4 tasse**

MÉTHODE

1 En travaillant au malaxeur dans un bol de taille moyenne, battre le beurre et le fromage à la crème jusqu'à ce que le mélange soit très léger et crémeux. Ajouter l'essence d'érable ou l'extrait de vanille et incorporer le sucre glace en battant, jusqu'à ce que le glaçage soit onctueux.

3 Une fois le gâteau refroidi complètement, en glacer le dessus et garnir de pacanes hachées.

Donne un gâteau de 12,5 cm sur 23 cm (5 po sur 9 po).

Cette recette de gâteau quatre-quarts est inhabituelle en ceci qu'elle comporte des blancs d'œufs battus, ce qui donne un gâteau plus léger, à la surface particulièrement croustillante.

Gâteau quatre-quarts

INGRÉDIENTS

6 jaunes d'œufs **6**

200 g de sucre granulé **1 tasse**

225 g de beurre fondu et tiédi **1 tasse**

10 ml d'extrait de vanille **2 c. à thé**

250 g de farine à pâtisserie tamisée **2 tasses**

5 g de poudre à lever **1 c. à thé**

6 blancs d'œufs **6**

100 g de sucre granulé **1/2 tasse**

MÉTHODE

Préchauffer le four à 180 °C (350 °F). Beurrer et fariner un moule à pain de 23 cm (9 po).

1   En travaillant au malaxeur dans un grand bol, battre les jaunes d'œufs à grande vitesse, en ajoutant le sucre peu à peu. Continuer à battre jusqu'à ce que le mélange ait doublé de volume et qu'il soit de couleur pâle.

2   Incorporer le beurre fondu et l'extrait de vanille.

3   À l'aide d'une spatule de caoutchouc, incorporer la farine tamisée et la poudre à lever.

4   En travaillant au malaxeur dans un bol propre de taille moyenne, battre les blancs d'œufs à grande vitesse, en incorporant le sucre petit à petit, jusqu'à la formation de pics durs.

5   Incorporer les blancs d'œufs battus dans le mélange de base, et verser la pâte dans le moule préparé.

6   Enfourner dans le four préchauffé et cuire pendant 30 à 40 minutes ou jusqu'à ce qu'une sonde à gâteau en ressorte propre.

7   Laisser le gâteau tiédir sur une grille métallique. Démouler ensuite puis laisser refroidir complètement avant de partager.

Gâteau marbré (variation)

MÉTHODE

Préchauffer le four à 180 °C (350 °F). Beurrer et fariner un moule à pain de 23 cm (9 po).

1   Préparer le mélange à gâteau quatre-quarts.

2   Dans un petit bol, battre ensemble au fouet 20 g (1/4 tasse) de cacao en poudre et 45 ml (3 c. à table) de lait. Verser le tiers de la pâte dans un petit bol et incorporer au fouet dans le cacao dilué.

3   Verser la moitié de la pâte à la vanille dans le moule, puis la pâte au chocolat. Terminer par la moitié restante de la pâte à la vanille.

4   Avec une cuillère, labourer la pâte en esquissant des motifs spiralés.

5   Cuire au four pendant 30 à 40 minutes ou jusqu'à ce que la sonde à gâteau en ressorte propre.

6   Laisser le gâteau refroidir sur une grille métallique. Démouler et laisser tiédir complètement avant de partager.

Donne un gâteau de 12,5 cm sur 23 cm (5 po sur 9 po).

Le cake se sert à tout moment de la journée. Accompagné d'une boule de crème glacée,
il donne un dessert complet. Ce gros gâteau peut nourrir une armée.

Cake aux noix et à la cannelle

INGRÉDIENTS

Garniture aux noix

100 g de noix de Grenoble fraîches hachées **1 tasse**

50 g de sucre **1/4 tasse**

10 g de farine **1 c. à table**

2 g de cannelle **1 c. à thé**

pincée de muscade

pincée de sel

INGRÉDIENTS

Gâteau

560 g de farine tout usage **3 3/4 tasses**

15 g de poudre à lever **3 c. à table**

8 g de bicarbonate de soude **1 1/2 c. à thé**

8 g de sel **1 1/2 c. à thé**

330 g de beurre **1 1/2 tasse**

300 g de sucre **1 1/2 tasse**

4 œufs **4**

1 jaune d'œuf **1**

15 ml d'extrait de vanille **1 c. à table**

375 ml de crème sure **1 1/2 tasse**

 MÉTHODE

GARNITURE AUX NOIX

1   Mélanger tous les ingrédients dans un petit bol.

 MÉTHODE

GÂTEAU

Préchauffer le four à 180 °C (350 °F). Badigeonner généreusement de beurre un moule à gâteau des anges de 23 cm (9 po).

1   Tamiser les ingrédients secs ensemble et les recueillir sur une feuille de papier sulfurisé.

2   En travaillant au malaxeur tournant à grande vitesse, réduire le beurre et le sucre en crème légère et crémeuse. Ajouter le jaune d'œuf et les œufs, un à la fois, en mélangeant bien après chaque ajout. Incorporer la vanille.

3   Incorporer les ingrédients secs et la crème sure, en alternance. Remuer jusqu'à ce que les ingrédients soient bien amalgamés. Éviter de trop mélanger, sans quoi le gâteau serait dur.

4   Verser la moitié de la préparation dans le moule à gâteau. Disperser sur la pâte la moitié de la garniture aux noix de Grenoble. Verser là-dessus le reste de la pâte et de garniture aux noix.

5   Cuire au four préchauffé jusqu'à ce qu'une sonde à gâteau en ressorte propre. Laisser refroidir le gâteau sur une grille métallique et le démouler une fois refroidi. Trancher et servir.

Donne un gâteau de 23 cm (9 po), soit au moins 12 portions.

Voici le gâteau le plus facile à réaliser. Il est toujours délicieux. On lui donne le surnom de « week-end » parce qu'il reste frais pendant toute cette période. En fait, il est même meilleur le lendemain de la cuisson.

Gâteau de week-end au citron et à l'orange

INGRÉDIENTS

210 g de beurre non salé **1 tasse et 2 c. à table**

190 g farine tout usage **1 1/4 tasse**

5 œufs **5**

185 g de sucre granulé **3/4 tasse et 3 c. à table**

zeste d'une orange finement râpé

MÉTHODE

Préchauffer le four à 180 °C (350 °F). Chauffer le beurre à feu doux jusqu'à ce qu'il fonde et soit bien chaud. Badigeonner l'intérieur d'un moule à pain de 12,5 cm sur 23 cm (5 po sur 9 po) d'environ 15 ml (1 c. à table) de beurre fondu et fariner avec environ 10 g (1 c. à table) de la farine mesurée.

1   Dans un bol de taille moyenne, battre les œufs au fouet avec le sucre jusqu'à ce que le tout soit bien amalgamé.

2   À l'aide d'une cuillère de bois, incorporer la farine en remuant jusqu'à homogénéité. Ajouter le reste du beurre fondu chaud, un peu à la fois, en remuant après chaque ajout, jusqu'à ce que le tout soit bien mélangé. Incorporer le zeste d'orange.

3   Verser la pâte dans le moule graissé et fariné puis mettre dans le four préchauffé. Cuire pendant 45 minutes ou jusqu'à ce qu'une brochette de bois introduite dans le centre du gâteau en ressorte propre.

4   Démouler le gâteau sur une grille métallique. À l'aide d'un pinceau à pâtisserie, badigeonner le dessus et les côtés du gâteau généreusement de la moitié du glaçage. Laisser refroidir 15 minutes, puis reprendre l'opération avec le reste de glaçage.

5   Laisser refroidir complètement avant de partager.

Glaçage

INGRÉDIENTS

45 ml de jus de citron fraîchement pressé **3 c. à table**

175 g de sucre glace tamisé **1 1/2 tasse**

MÉTHODE

Dans un petit bol, mélanger les ingrédients et battre au fouet jusqu'à homogénéité. Le glaçage doit être assez épais. Garder à couvert jusqu'au moment d'utiliser.

Donne un gâteau de 12,5 cm sur 23 cm (5 po sur 9 po).

Vous pouvez enrichir ces muffins de noix, de raisins ou de fruits hachés.
Le mélange à muffins peut être préparé deux jours à l'avance et
conservé au réfrigérateur jusqu'au moment d'enfourner.

Muffins aux carottes

Muffins aux carottes

INGRÉDIENTS

250 g de farine **1 2/3 tasse**

3 g de poudre à lever **1/2 c. à thé**

3 g de bicarbonate de soude **1/2 c. à thé**

3 g de cannelle **1/2 c. à thé**

3 g de muscade **1/2 c. à thé**

3 g de sel **1/2 c. à thé**

3 œufs **3**

235 g de cassonade **1 tasse**

150 ml d'huile végétale **2/3 tasse**

2 ml d'extrait de vanille **1/2 c. à thé**

275 g de carottes pelées et râpées finement
(environ six carottes de taille moyenne) **2 tasses**

MÉTHODE

Préchauffer le four à 180 °C (350 °F). Placer douze caissettes de papier dans un moule à muffins.

1   Tamiser les ingrédients secs et recueillir sur une feuille de papier sulfurisé.

2   En travaillant au malaxeur tournant à grande vitesse, battre les œufs avec le sucre jusqu'à ce qu'ils soient mousseux. Incorporer l'huile et la vanille et battre jusqu'à homogénéité.

3   À petite vitesse, incorporer les ingrédients secs tamisés et les carottes râpées. Battre le mélange jusqu'à ce qu'il soit bien homogène.

4   Remplir les moules à muffins d'une généreuse quantité de pâte.

5   Cuire les muffins au four préchauffé pendant 30 minutes ou jusqu'à ce qu'une sonde à gâteau introduite au centre de la pâte en ressorte propre. Laisser refroidir sur une grille métallique et démouler les muffins une fois ceux-ci refroidi.

Donne 12 gros muffins.

Évitez de broyer les bleuets en les incorporant à la pâte, car les muffins seraient alors bleus. Le mélange à muffins peut être préparée deux jours à l'avance et conservée au réfrigérateur jusqu'au moment d'enfourner.

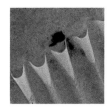

Muffins aux bleuets

INGRÉDIENTS

350 g de farine **2 1/3 tasses**

5 g de sel **1 c. à thé**

13 g de poudre à lever **2 1/2 c. à thé**

200 g de sucre granulé **1 tasse**

110 g d'extrait de vanille **1/2 tasse**

3 œufs **3**

1 jaune d'œuf **1**

200 ml de lait **3/4 tasse et 2 c. à table**

175 g de bleuets frais *ou* surgelés **1 1/2 tasse**

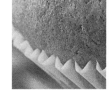

MÉTHODE

Préchauffer le four à 180 °C (350 °F). Doubler une plaque à muffins de douze coupes à muffin en papier sulfurisé.

1 Tamiser ensemble les ingrédients secs et recueillir sur une feuille de papier sulfurisé.

2 En travaillant au malaxeur tournant à grande vitesse, réduire le beurre en crème avec le sucre jusqu'à ce que le mélange soit léger et crémeux. Ajouter le jaune d'œuf et les œufs un à un, en battant bien après chaque ajout. Incorporer la vanille.

3 À petite vitesse, incorporer les ingrédients secs en alternance avec le lait. Battre le mélange jusqu'à ce qu'il soit bien homogène. Incorporer les bleuets.

4 Remplir les moules à muffins d'une généreuse quantité de pâte.

5 Cuire les muffins au four préchauffé pendant 30 minutes ou jusqu'à ce qu'une sonde à gâteau introduite au centre de la pâte en ressorte propre. Laisser refroidir sur une grille métallique et démouler les muffins une fois ceux-ci refroidi.

Makes 12 large muffins

Évitez de broyer les bleuets en les incorporant à la pâte, car les muffins seraient alors bleus. Le mélange à muffins peut être préparée deux jours à l'avance et conservée au réfrigérateur jusqu'au moment d'enfourner.

Muffins aux bleuets

INGRÉDIENTS

350 g de farine 2 1/3 tasses

5 g de sel 1 c. à thé

13 g de poudre à lever 2 1/2 c. à thé

200 g de sucre granulé 1 tasse

110 g de beurre 1/2 tasse

5 ml d'extrait de vanille 1 c. à thé

3 œufs 3

1 jaune d'œuf 1

200 ml de lait 3/4 tasse et 2 c. à table

175 g de bleuets frais *ou* surgelés 1 1/2 tasse

MÉTHODE

Préchauffer le four à 180 ºC (350 ºF). Doubler une plaque à muffins de douze coupes à muffin en papier sulfurisé.

1. Tamiser ensemble les ingrédients secs et recueillir sur une feuille de papier sulfurisé.

2. En travaillant au malaxeur tournant à grande vitesse, réduire le beurre en crème avec le sucre jusqu'à ce que le mélange soit léger et crémeux. Ajouter le jaune d'œuf et les œufs un à un, en battant bien après chaque ajout. Incorporer la vanille.

3. À petite vitesse, incorporer les ingrédients secs en alternance avec le lait. Battre le mélange jusqu'à ce qu'il soit bien homogène. Incorporer les bleuets.

4. Remplir les moules à muffins d'une généreuse quantité de pâte.

5. Cuire les muffins au four préchauffé pendant 30 minutes ou jusqu'à ce qu'une sonde à gâteau introduite au centre de la pâte en ressorte propre. Laisser refroidir sur une grille métallique et démouler les muffins une fois ceux-ci refroidi.

Donne 12 gros muffins.

Malgré toute l'attention que nous portons à la création de nos livres et à vérifier l'exactitude du contenu, il arrive parfois que certaines erreurs nous échappent.

Soyez assuré que nous avons à coeur la qualité de nos livres et que nous sommes désolés de cet inconvénient.

Les Éditions du Trécarré

Index Index